ÉREC ET ÉNIDE

TRADUCTIONS DES CLASSIQUES FRANÇAIS
DU MOYEN AGE
sous la direction de Jean Dufournet

I

CHRÉTIEN DE TROYES

ÉREC ET ÉNIDE

ROMAN TRADUIT DE L'ANCIEN FRANÇAIS
D'APRÈS L'ÉDITION DE MARIO ROQUES

PAR

RENÉ LOUIS
Professeur à la Faculté des Lettres de l'Université de Caen

PARIS
LIBRAIRIE HONORÉ CHAMPION, ÉDITEUR
7, QUAI MALAQUAIS (VIe)

1984

ISBN 2-85203-067-5
ISSN 0180-4707

Réimpression de l'édition de Paris, 1979.

AVANT-PROPOS

Erec et Enide *est le premier en date des cinq grands romans de Chrétien de Troyes qui nous ont été conservés ; sa date de composition peut être située aux environs de* 1165. *C'est aussi le premier roman français du cycle arthurien qui nous soit parvenu ; à ce seul titre, il est un document de premier ordre dans l'histoire de nos Lettres. A cela s'ajoute que le récit est conduit avec un art très sûr de ses moyens et de ses effets, que l'intérêt est habilement ménagé et — en dépit de quelques descriptions de combats un peu prolixes —. se soutient du premier au derniers vers, que les caractères y sont tracés avec une vérité et une vie saisissantes, que la peinture des sentiments y est pleine de fraîcheur et presque toujours exempte de mièvrerie.*

Toutes ces qualités méritaient que cet ouvrage fût mis à la portée des lecteurs modernes, peu préparés dans leur ensemble à lire dans le texte original les poèmes français du XII*e* *siècle. Je pense que le public trouvera du plaisir à lire* Erec, *et même que les hommes et les femmes d'aujourd'hui s'étonneront de voir cette œuvre demeurée si jeune, si proche de nous : elle parle à nos sensibilités un langage direct et qui n'a besoin, pour nous émouvoir, d'aucun artifice.*

Je sais ce que l'on peut dire contre les traductions, qui sont toujours, même les plus fidèles, d'involontaires et inconscientes trahisons. Transposer la pensée de l'auteur dans une autre langue, la plier aux démarches et aux tournures d'un autre style, la soumettre aux modes d'un autre siècle, c'est aussi la dépouiller de sa grâce naïve et, comme dit le poète, de « sa première et jeune nouveauté ». Mais il faut s'y résigner, et ce n'est pas là une raison suffisante pour ne point faire passer dans la langue du XX*e* *siècle nos grands poèmes narratifs des* XII*e* *et* XIII*e* *siècles : mieux vaut les faire lire sous une forme imparfaite que de les abandonner à un injuste oubli.*

Ainsi pensait Joseph Bédier, en qui l'impeccable érudit se doublait d'un grand artiste, quand il traduisait le Tristan *de Béroul, la* Chanson de Roland *et la* Châtelaine de Vergy. *M. Lucien Foulet, l'un des maîtres de notre histoire littéraire médiévale, n'a pas dédaigné non plus de traduire en prose moderne le dernier en date des romans de Chrétien de Troyes,* Perceval le Gallois ou le Conte du Graal, *et cette traduction, préfacée par M. Mario Roques, a inauguré, aux éditions Stock, la série des* Cent romans français.

*D'*Erec et Enide *n'ont paru jusqu'ici que des traductions partielles : celle de Mme Myrrha Lot-Borodine* (1), *adaption élégante qui s'en tient aux épisodes les plus significatifs, et celle de M. André Mary* (2), *qui, moins incomplète, omet pourtant, de propos délibéré, de nombreux passages jugés obscurs ou superflus. De plus, mes deux prédécesseurs avaient suivi le texte critique publié en* 1890 *par le grand romaniste allemand Wendelin Foerster, tandis que j'ai bénéficié de l'édition nouvelle de M. Mario Roques* (3), *établie d'après le ms.* 794 *de la Bibliothèque Nationale, œuvre d'un copiste nommé Guiot, qui semble avoir vécu à Provins dans le premier quart du* XIIIe *siècle.*

(1) *Poèmes et récits de la vieille France.* IV. CHRÉTIEN DE TROYES. *Erec et Enide, roman d'aventures du* XIIe *siècle, traduit par Myrrha* LOT-BORODINE, Paris, E. de Boccard, 1924.

(2) CHRÉTIEN DE TROYES, Le chevalier au lion, *précédé de* Erec et Enide, *version en prose moderne par André* MARY, Paris, Gallimard, 1re éd. 1923, 2e éd. 1944. Il faut reconnaître que l'Angleterre nous a devancés et que M. W.-W. COMFORT a publié à Londres, dès 1913, une traduction anglaise intégrale d'*Erec.*

(3) *Les Romans de Chrétien de Troyes, édités d'après la copie de Guiot (Bibl. Nat. , fr.* 794). I. *Erec et Enide, publié par Mario* ROQUES (*Les Classiques français du Moyen Age,* 80), Paris, Honoré Champion, 1952.

Je prie mon maître, M. Mario Roques, de bien vouloir trouver ici l'expression de ma respectueuse gratitude pour m'avoir permis d'utiliser son édition et aussi pour avoir annoncé, à la p. XXXIII *de son* Introduction, *la publication prochaine de la présente traduction.*

Je me suis permis, en cinq cas seulement, de compléter, entre crochets, le texte de Guiot (A) par recours au ms. fr. 1450 *de la Bibliothèque Nationale (R), parce qu'il m'a semblé que Guiot avait, en ces cinq cas, omis ou altéré un ou plusieurs vers indispensables au sens. Ces passages sont les suivants :*

1° *aux vers* 2.075-2.078, *A a omis un vers, bouleversé l'ordre des autres et transformé* Evroïc *en* Erec, *ce qui rend — à mons sens — son texte inintelligible (voir la note de M. Mario Roques, p.* 220).

2° *Après le v.* 4.002, *il paraît nécessaire de réintroduire les* 2 *vers que M. Roques cite, d'après R, en sa note de la p.* 225.

3° *Au v.* 4.322, *j'ai rétabli la leçon de R. parce qu'il me paraît impossible d'appliquer à Erec les vers* 4.323-4.324. *M. Roques lui-même n'a conservé le texte de A que sous réserve (note de la p.* 226).

4° *Après le vers* 4.488, *quand Cadoc annonce qu'il va révéler son nom, Guiot a omis une dizaine de vers, qui contenaient précisément cette révélation, et que M. Mario Roques don-*

ne, d'après R, à la note de la p. 227.

5° *Au vers 5.274, je rétablis* veirs *au lieu de* noirs, *car il est certain que le premier palefroi d'Enide, don d'une sienne cousine, était vair (= pommelé) et non pas noir.*

J'ai cru répondre au vœu de certains lecteurs en donnant, à la suite du roman de Chrétien, un glossaire qui précise le sens de quelques vocables rares ou qui sont employés aujourd'hui dans un sens assez différent de celui du XIIe *siècle. Je me suis inspiré, pour beaucoup de ces mots, du* glossaire *placé par M. Mario Roques lui-même à la fin de son édition, et j'en ai parfois reproduit textuellement les définitions.*

Est-il besoin de le préciser ? Je ne me flatte nullement d'avoir évité toute erreur en traduisant cette suite de 6878 octosyllabes. Comme le scribe Guiot, j'ai eu sûrement des défaillances et des distractions. J'exprime d'avance mes remerciements aux lecteurs bienveillants qui voudront bien me les signaler, et particulièrement à mes collègues romanistes des Universités françaises et étrangères, dont je serais heureux de pouvoir utiliser les avis pour une seconde édition de ce petit livre.

Paris, 13 septembre 1953.

R. L.

ÉREC ET ÉNIDE

Le vilain dit en son proverbe : « Chose que l'on dédaigne vaut beaucoup mieux qu'on ne le pense. » Aussi fait bien qui mène à bonne fin son ouvrage, quel qu'il soit, car en le négligeant on risque fort de passer sous silence telle chose qui plus tard viendrait à plaire. C'est pourquoi. Chrétien de Troyes déclare que, pour agir raisonnablement, chacun doit penser et s'appliquer de toute manière à bien dire et à bien enseigner, et il tire d'un conte d'aventure une histoire bien ordonnée : par là, on peut prouver et être certain que n'est pas sage celui qui ne dévoile pas ce qu'il a de science, autant que Dieu lui en donne la grâce. C'est le conte d'Erec, le fils de Lac : devant des rois et des comtes, on entend d'ordinaire ceux qui content pour gagner leur vie en dire des morceaux sans lien et gâter tout le récit. Je vais commencer dès maintenant cette histoire, dont on gardera à jamais le souvenir, autant que durera la chrétienté : c'est de quoi Chrétien s'est vanté.

Au jour de Pâques, à la saison nouvelle, à

Caradigan, son château, le roi Arthur avait tenu sa cour. On n'en avait pas vu encore d'aussi magnifique : il y avait nombre de bons chevaliers courageux, ardents et fiers, et de hautes dames et pucelles, filles de rois, nobles et belles ; mais, avant que la cour se séparât, le roi dit à ses chevaliers qu'il voulait chasser le blanc cerf pour remettre en vigueur la coutume. Il ne plut guère à monseigneur Gauvain d'entendre cette parole : « Sire, fait-il, de cette chasse, vous ne retirerez ni gré ni grâce ; nous savons bien tous de longtemps ce qu'est la coutume du blanc cerf : qui peut tuer le blanc cerf, il faut en bonne règle qu'il donne un baiser à la plus belle des pucelles de votre cour, quoi qu'il en advienne. Il en peut arriver de grands malheurs, car il y a bien ici cinq cents demoiselles de grande famille, filles de roi, nobles et sages : pas une qui n'ait pour ami un chevalier de valeur et de courage, et chacun de ces chevaliers voudrait soutenir, à tort ou à raison, que celle qui lui plaît est la plus belle et la plus noble. » Le roi répond : « Je le sais bien, mais je ne renoncerai pas pour cela à mon dessein : parole de roi ne doit pas être démentie. Demain matin, à grand plaisir, nous irons tous chasser le blanc cerf en la forêt aventureuse : ce sera une très merveilleuse chasse. » Ainsi la chasse est préparée pour le lendemain au jour.

Le lendemain, dès le point du jour, le roi se lève et s'équipe et, pour aller dans la forêt, il se vêt d'une courte cotte. Il fait éveiller les chevaliers et harnacher les chevaux de chasse; avec leurs arcs et leurs flèches, ils s'en vont chasser en forêt. Après eux monte la reine, accompagnée d'une suivante, une pucelle, fille de roi, assise sur un bon palefroi. Derrière elles vient, piquant des éperons, un chevalier nommé Erec. Il était de la Table Ronde et avait grand renom à la cour. Depuis qu'il y séjournait, nul chevalier ne recueillait autant d'éloges. Il était si beau qu'il eût été vain d'en chercher un plus beau en nulle terre. Très beau, très preux et très noble, il n'avait pas vingt-cinq ans. Jamais homme de son âge ne montra plus de vaillance : que dirai-je de ses hauts faits ? Monté sur un destrier, il était revêtu d'un manteau d'hermine et galopait en suivant le chemin. Il portait une cotte de diapre précieux, tissé à Constantinople, et des chausses en tissu de soie, bien faites et bien taillées. Solidement campé sur ses étriers, il avait mis des éperons d'or, mais n'avait apporté d'autre arme que son épée. Il rejoignit la reine alors qu'il piquait des deux, au tournant d'une rue : « Dame, fait-il, s'il vous plaisait, j'irais avec vous par ce chemin. Je ne suis venu ici que pour vous tenir compagnie. ». Et la reine l'en remercie : « Bel ami, j'aime fort votre compagnie, sachez-le bien, et je ne puis en avoir de meilleure. »

Là-dessus, ils chevauchent bon train et gagnent la forêt en droite ligne. Ceux qui étaient allés devant avaient déjà levé le cerf. Les uns cornent, les autres huent, les chiens donnent de la voix derrière le cerf, courent, s'excitent et aboient. Les archers font pleuvoir les flèches. Devant eux tous, chasse le roi monté sur un coursier espagnol. La reine Guenièvre était dans le bois à écouter les chiens, ayant près d'elle Erec et la pucelle, qui était très courtoise et belle. Mais ceux qui avaient levé le cerf s'étaient tellement éloignés d'eux qu'ils ne pouvaient plus rien entendre, ni cor, ni cheval, ni chien. Pour prêter l'oreille et écouter s'ils entendaient, de côté ou d'autre, voix d'homme ou cri de chien, tous trois s'étaient arrêtés dans un essart, en un chemin. Ils y étaient depuis fort peu de temps quand ils virent venir un chevalier armé sur un destrier, l'écu au col, la lance au poing. La reine l'aperçut de loin. Près de lui chevauchait, à sa droite, une pucelle de fière allure et, devant eux, sur un grand cheval de trait, un nain venait le long du chemin, portant en sa main un fouet de lanières nouées par un bout. La reine Guenièvre voit le chevalier, beau et agile, et veut savoir qui ils sont tous les deux, lui et sa pucelle. Elle commande à sa demoiselle de compagnie d'aller vite lui parler : « Demoiselle, dit la reine, ce chevalier qui chemine là-bas, allez lui dire de venir vers moi et d'amener sa pucelle avec lui. »

La demoiselle s'avance, à l'amble, droit vers le chevalier. Le nain vient à sa rencontre tenant le fouet en sa main. « Demoiselle, arrêtez, fait le nain, plein de félonie. Qu'allez-vous chercher de ce côté ? Vous n'avez rien à faire plus avant ! — Nain, répond-elle, laisse-moi passer. Je veux parler à ce chevalier, car la reine m'envoie vers lui. » Le nain qui était farouche et de méchante nature se dressa au milieu du chemin. « Vous n'avez que faire ici, dit-il. Retournez en arrière : il ne convient pas que vous parliez à un si bon chevalier. » La pucelle se porte en avant ; elle veut passer outre par la force. Elle éprouvait un profond mépris pour le nain, parce qu'elle le voyait si petit. Mais le nain lève son fouet quand il la voit à sa portée. Il veut la frapper en plein visage, mais elle se couvre de son bras ; il reprend son élan et la frappe à découvert sur la main nue. Il lui porte un tel coup sur l'envers de la main, que toute la main en devient bleuâtre. La demoiselle, faute de mieux, est contrainte, bon gré mal gré, de se retirer. Elle est revenue en pleurant : les larmes coulent de ses yeux le long de son visage. La reine ne sait que faire ; à la vue de sa demoiselle meurtrie, elle est chagrine et courroucée. « Ah ! Erec, bel ami, fait-elle, je suis affligée pour ma pucelle que ce nain m'a ainsi meurtrie. Ce chevalier est bien vilain puisqu'il a souffert qu'une telle engeance frappât si belle créature. Bel ami Erec, allez vers le chevalier et dites-lui qu'il vienne vers moi sans faute ; je veux le connaître, lui et son amie. » Erec pique dans cette direction, éperonne son cheval et vient droit au chevalier. Mais le misérable nain le voit venir et se porte à sa rencontre : « Vassal, fait-il, restez en arrière ! Je ne sache pas que vous ayez à faire ici. Je vous conseille de vous retirer. — Fuis, dit Erec, nain odieux, tu es par trop félon et contrariant. Laisse-moi passer ! — Vous ne passerez pas. — Je passerai ! — Vous n'en ferez rien ! » Erec pousse le nain devant lui. Mais le nain était plus félon que nul être au monde ; il frappa Erec de son fouet par le milieu du cou. Erec eut, par le fouet, le cou et le visage tout lacérés : on y voyait, de part en part, les raies que les courroies avaient imprimées. Il savait bien qu'il n'aurait pas la satisfaction de frapper le nain, car il voyait le chevalier en armes, farouche et arrogant, et il craignait d'être occis par lui sur le champ s'il frappait son nain en sa présence. « Folie n'est pas courage » ; aussi Erec agit-il sagement : il se retira, si bien qu'il ne se passa rien de plus.

« Dame, fait-il, voilà qui est plus odieux encore ! Le misérable nain m'a meurtri de telle façon qu'il m'a lacéré tout le visage. Je n'ai pas osé le battre ni le toucher, mais nul ne m'en doit blâmer, car j'étais sans armes, et je redoutais le chevalier armé, qui est vilain et insolent : il n'aurait pas pris la chose pour un jeu et, dans son outrecuidance, il m'aurait massacré sur le champ. Pourtant, je veux vous promettre que, si je le puis, ou bien je vengerai ma honte, ou bien je la redoublerai ! Mais mes armes sont trop loin d'ici, je ne pourrai m'en servir en ce besoin, puisque je les ai laissées à Caradigan ce matin, lors de mon départ. Si j'allais les chercher, je ne pourrais jamais, par nul hasard, retrouver ce chevalier, car il s'éloigne à vive allure. Il me faut le suivre dès cet instant, de loin ou de près, jusqu'à ce que je trouve quelqu'un qui veuille me louer des armes ou m'en prêter; si je rencontre quelqu'un qui me prête des armes, le chevalier me trouvera disposé à engager le combat sur l'heure. Et sachez bien sans nul doute que nous lutterons l'un contre l'autre jusqu'à ce qu'il m'ait réduit à sa merci, ou moi lui. Et, si je le puis, avant le troisième jour, je me serai mis au chemin du retour : alors vous me reverrez au palais, joyeux ou dolent, je ne sais lequel des deux. Dame, je ne puis tarder davantage, il me faut suivre le chevalier. Je m'en vais et vous recommande à Dieu. » Et la reine pareillement le recommande à Dieu plus de cinq cents fois, afin qu'il le défende de tout mal.

Erec se sépare de la reine : il suit le chevalier sans le perdre de vue. La reine reste dans la forêt, où le roi avait atteint le cerf; à la prise du cerf, le roi arrive avant tous les autres. Ils ont tué et pris le blanc cerf, tous se sont mis au chemin du retour ; en portant le cerf, ils s'en vont et sont arrivés à Caradigan. Après souper, quand les barons furent tous joyeux à travers la maison, le roi, comme c'était la coutume, puisqu'il avait pris le cerf, déclara qu'il irait prendre le baiser afin de maintenir la coutume du cerf. Parmi la cour. s'élève un grand murmure : ils assurent et se jurent les uns aux autres que la chose ne se fera pas sans avoir été débattue à la pointe de l'épée ou de la lance de frêne. Chacun veut soutenir par les armes que son amie est la plus belle de la salle : voilà un propos bien fâcheux. Quand messire Gauvain l'apprit, sachez que cela ne fut pas de son goût ; il alla en parler au roi : « Sire, fait-il, vos chevaliers sont ici en grand émoi. Tous parlent de ce baiser ; ils disent tous qu'il ne sera pas donné sans qu'il y ait querelle et bataille. » Et le roi répond avec sagesse : « Beau neveu Gauvain, conseillez-moi là-dessus, sauf mon honneur et ma loyauté, car je n'ai cure de provoquer une querelle. »

Au conseil s'empressent la plupart des meilleurs barons de la cour. Le roi Yder y est allé, qui avait été le premier appelé. Puis vint le roi Cadwallo qui était très sage et vaillant. Keu et Girflet y sont venus, ainsi que le roi Amauguin et nombre d'autres barons s'étaient joints à eux. La délibération se prolongea jusqu'à l'arrivée de la reine. Elle leur conta l'aventure qui lui était advenue dans la forêt : comment elle avait vu le chevalier armé et le petit nain félon qui avait, de son fouet, frappé sa demoiselle sur la main nue et cinglé de même Erec au visage, très ignominieusement ; comment Erec avait suivi le chevalier, résolu à mettre le comble à sa honte ou à se venger, et comment il devait rentrer, s'il le pouvait, avant le troisième jour. « Sire, dit la reine au roi, écoutez un peu ce que je vais dire ! Si les barons ici présents approuvent mes paroles, remettez ce baiser à plus tard, jusqu'à ce qu'Erec revienne, le troisième jour. » Pas un qui ne se déclare de son avis ; le roi lui-même y consent.

Erec suivit le chemin du chevalier armé et du nain qui l'avait frappé. Ils finirent par arriver à une place forte, bien assise, puissante et belle : ils y entrèrent par la porte, sans hésiter. Dans la ville menaient grand joie chevaliers et pucelles, car il y en avait beaucoup de belles. Les uns, dans les rues, gorgent des éperviers et des faucons de mue ; d'autres apportent dehors des tiercelets et des autours, mués et béjaunes ; d'autres jouent dans un coin, qui à la mine, qui au hasard, qui aux échecs, qui aux tables. Les garçons, devant les étables, bouchonnent et étrillent les chevaux. Les dames, dans les chambres, se parent. Les habitants, qui connaissaient le chevalier, d'aussi loin qu'ils le voient venir avec son nain et sa pucelle, vont au devant de lui trois par trois ; tous lui font fête et le saluent, mais ils ne se dérangent pas pour Erec, car ils ne le connaissaient pas.

Erec suivit de près le chevalier à travers le bourg jusqu'à ce qu'il le vit prendre un logis : il fut tout content et joyeux quand il le vit installé chez un hôte. S'avançant un peu plus, il aperçut, étendu en haut d'un escalier, un vavasseur assez âgé, mais dont l'enclos était très pauvre. C'était un bel homme, blanc et chenu, de bonne souche, noble et franc ; il était assis là, tout seul, et paraissait tout songeur. Erec pensa que c'était un prud'homme ; il n'hésiterait pas à l'héberger. Franchissant la porte, il entra dans la cour. Le vavasseur courut au devant de lui. Avant qu'Erec n'eût soufflé mot, il l'avait salué : « Beau sire, fait-il, soyez le bienvenu. Si vous daignez prendre chez moi votre logement, voici votre hôtel tout préparé. » Erec descend de son cheval, que le sire lui-même prend et tire par la rêne derrière lui. Il se fait une fête de recevoir son hôte.

Le vavasseur appelle sa femme et sa fille, qui était très belle ; elles travaillaient en un ouvroir, je ne sais à quel ouvrage. La dame en sortit avec sa fille qui était vêtue d'une chemise à larges pans, fine, blanche et plissée; elle avait passé par dessus un chainse blanc et n'avait rien de plus en fait de vêtements. Encore le chainse était-il si usagé qu'il était troué aux coudes. Cet habillement était pauvre extérieurement, mais, par dessous, le corps était beau.

Grande était la beauté de la jeune fille. Nature, qui l'avait façonnée, y avait mis tous ses soins ; elle-même s'était plus de cinq cents fois émerveillée de ce qu'elle avait pu, une seule fois, former une si belle créature, car, depuis lors, en dépit de toute la peine qu'elle avait prise, elle n'avait pu, en aucune manière en produire un nouvel exemplaire. De celle-ci, Nature porte témoignage : jamais plus belle créature n'a été vue de par le monde. Je vous dis en vérité que les cheveux d'Iseut la Blonde, si blonds et dorés qu'ils fussent, n'étaient rien auprès de celle-ci. Elle avait le front et le visage plus lumineux et plus blancs que n'est la fleur de lys ; son teint était merveilleusement rehaussé par une fraîche couleur vermeille dont Nature lui avait fait don pour relever l'éclat de son visage. Ses yeux rayonnaient d'une si vive clarté qu'ils semblaient deux étoiles ; jamais Dieu n'avait si bien réussi le nez, la bouche et les yeux. Que dirais-je de sa beauté ? Elle était faite, en vérité, pour être regardée, si bien qu'on aurait pu se mirer en elle comme en un miroir.

Elle était sortie de l'ouvroir ; quand elle aperçut le chevalier qu'elle n'avait jamais vu, elle se tint un peu en arrière ; parce qu'elle ne le connaissait pas, elle eut honte et rougit. Erec, de son côté, fut ébahi quand il vit en elle une si grande beauté. Le vavasseur dit à sa fille : « Belle douce fille, prenez ce cheval et conduisez-le à l'écurie avec les miens. Prenez garde qu'il ne manque de rien. Otez-lui la selle et le mors, donnez-lui de l'avoine et du foin ; pansez-le, étrillez-le en sorte qu'il soit bien soigné. »

La pucelle prend le cheval, lui délace le poitrail, lui ôte le mors et la selle. Le cheval a maintenant une bonne hôtesse, qui s'occupe bel et bien de lui. Elle lui met un licol, l'étrille bien, le bouchonne, le panse, l'attache à la mangeoire et place devant lui du foin et de l'avoine, très fraîche et saine. Puis elle revient vers son père qui lui dit : « Ma chère fille, prenez par la main ce seigneur et portez-lui très grand honneur. » La pucelle ne se fit pas prier ; elle le fit monter en le tenant par la main, car elle n'était pas vilaine ; par la main, elle le mena en haut. La dame y était allée la première et elle avait préparé la maison. Elle avait étendu des courtepointes et des tapis sur les lits ; ils s'y sont assis tous les trois. Erec avait la pucelle à côté de lui et le maître de la maison de l'autre côté. Le feu, devant eux, brûlait très clair. Le vavasseur n'avait pas de domestique, si ce n'est un seul pour son service : ni chambrière, ni servante. Le serviteur préparait dans la cuisine de la viande et des volailles pour le souper. Il eut vite fait d'apprêter le repas ; il savait bien accommoder et prestement cuire la viande, soit en bouilli, soit en rôti. Quand le repas fut préparé comme on le lui avait commandé, il leur présenta de l'eau en deux bassins ; il eut bientôt fait d'apprêter et de mettre les tables, les nappes et les bassins. Ils se mirent à table : de tout ce qu'il leur fallait, ils eurent à volonté.

Quand ils eurent soupé à leur aise et se furent levés de table, Erec se prit à questionner son hôte, le maître de la maison : « Dites-moi, bel hôte, fait-il, pourquoi votre fille, qui est si belle et si sage, est-elle vêtue de si pauvres hardes et si viles ? — Bel ami, fait le vavasseur, Pauvreté fait du tort à plusieurs, et je suis de ce nombre. Il me pèse fort de la voir en si pauvres atours, mais je n'ai pas les moyens d'y remédier. J'ai fait la guerre toute ma vie, tant et si bien que j'ai perdu, mis en gage et vendu toute ma terre. Et pourtant, elle eût été bien vêtue si j'eusse accepté qu'elle reçût tout ce qu'on voulait lui donner ; le seigneur même de cette ville l'aurait bel et bien habillée et il eût comblé tous ses désirs, car elle est sa nièce et il est comte. En tout ce pays, il n'y a nul baron, quelle que soit sa renommée, qui ne l'eût volontiers prise pour femme aux conditions qu'il m'aurait plu de fixer. Mais j'attends encore une meilleure chance : que Dieu lui accorde plus grand honneur et qu'aventure conduise ici un roi ou un comte qui l'emmènera avec lui. Est-il donc sous le ciel un roi ou un comte qui aurait à rougir de ma fille ? Elle est si merveilleusement belle qu'on ne peut trouver sa pareille. Très belle certes, mais sa sagesse l'emporte encore sur sa beauté : jamais Dieu ne fit créature aussi sage ni qui soit d'aussi noble cœur. Quand j'ai ma fille près de moi, tout l'univers pour moi ne vaut pas une bille. Elle est mon plaisir, ma récréation, ma consolation, mon réconfort, ma fortune et mon trésor ; je n'aime rien autant qu'elle. »

Quand Erec eut écouté tout le récit de son hôte, il lui posa une autre question : pourquoi une si nombreuse chevalerie s'était-elle assemblée en ce bourg, que la plus pauvre rue, l'hôtel le plus pauvre et le plus petit étaient pleins de chevaliers, de dames et d'écuyers ? Le vavasseur lui répondit : « Bel ami, ce sont les barons du pays environnant : tous, jeunes et vieux, sont venus à une fête qui aura lieu demain en cette ville : c'est pourquoi les hôtels sont pleins. Il y aura demain grand bruit quand ils seront tous assemblés, car devant toute l'assistance, un très bel épervier, de cinq ou six mues, sera posé sur une perche. Celui qui voudra détenir l'épervier devra avoir une amie belle, sage et sans vilenie ; s'il se rencontre un chevalier assez hardi pour réclamer, en faveur de son amie, le prix et la réputation de la plus belle, il fera, devant tous, prendre par son amie l'épervier sur la perche, à moins qu'un autre n'ait l'audace de le lui interdire. Les barons du pays maintiennent cette coutume et c'est pour cela qu'ils viennent ici chaque année. »

Erec lui fait maintenant cette prière : « Bel hôte, si cela ne vous ennuie pas, dites-moi, si vous le savez, quel est le chevalier revêtu d'armes d'azur et d'or, qui est passé tout à l'heure par ici avec, à ses côtés, une aimable pucelle qui se tenait tout près de lui et, devant eux, un nain bossu ? ». L'hôte répondit alors : « C'est celui qui aura l'épervier sans que nul chevalier le lui dispute : il n'y aura ni plaie, ni bosse, je ne crois pas que nul se présente en face de lui. Voici deux ans qu'il a obtenu l'épervier sans qu'on le lui ait jamais contesté ; mais s'il l'a encore cette année, il l'aura obtenu pour toujours. Il n'en sera ainsi que lorsque l'épervier lui aura été remis en toute propriété, sans bataille et sans débat. » Erec répond aussitôt : « Ce chevalier, je ne l'aime pas. Sachez que si j'avais des armes, je lui disputerais l'épervier. Bel hôte, par générosité, par don gracieux et pour me rendre service, je vous prie de m'enseigner comment je pourrais m'équiper d'armes, neuves ou vieilles, n'importe lesquelles, belles ou laides. » L'hôte lui répond en homme généreux « Vous n'aurez pas à vous faire de souci pour cela : j'ai des armes belles et bonnes que je vous prêterai volontiers. Ici même est mon haubert à treillis qui fut choisi entre cinq cents, de belles chausses de grand prix, bonnes, neuves et légères ; le heaume y est aussi, bel et bon, et l'écu tout flambant neuf. Le cheval, l'épée et la lance, je vous prêterai tout sans hésiter, si bien qu'il ne restera rien à désirer. — Merci à vous, beau doux sire, mais je ne cherche pas meilleure épée que celle que j'ai apportée ni cheval autre que le mien : celui-ci fera bien mon affaire. Si vous me prêtez le surplus, j'estime que c'est très grande bonté ; mais je veux encore vous demander un don, pour lequel je vous récompenserai, si Dieu veut que je me tire avec honneur de ce combat. » L'autre lui répond finalement : « Demandez-moi sans crainte ce que vous désirez, de quoi qu'il s'agisse ; que rien de ce que je possède ne vous fasse défaut. » Erec lui déclare alors qu'il veut réclamer l'épervier pour sa fille, car, en vérité, il n'y aura pas de pucelle qui ait la centième part de sa beauté et, s'il l'emmène avec lui, il aura une raison évidente et assurée de prétendre et de démontrer qu'elle doit emporter l'épervier. Puis il ajoute : « Sire, vous ne savez pas quel hôte vous avez hébergé, quel est mon rang et ma race. Je suis le fils d'un riche et puissant roi ; mon père se nomme le roi Lac et les Bretons m'appellent Erec. Je suis de la cour du roi Arthur : j'ai bien séjourné trois ans avec lui. Je ne sais si quelque nouvelle de mon père ou de moi-même est jamais venue jusqu'à cette contrée ; mais je vous promets et accorde que si vous m'équipez de vos armes et me confiez demain votre fille pour conquérir l'épervier, je l'emmènerai en ma terre si Dieu me donne la victoire ; là, je lui ferai porter couronne et elle sera reine de dix cités — Ah ! beau sire, est-ce vérité ? Etes-vous Erec, le fils de Lac ? — Je le suis, fait-il, sans nul doute. » L'hôte s'en réjouit fort et dit : « Nous avons bien entendu parler de vous en ce pays-ci. Je vous aime et vous estime grandement, car vous êtes très preux et hardi. Ce n'est pas moi qui m'opposerai à vos projets : à votre entière disposition, je vous confie ma belle fille. » Alors, il l'a prise par le poing : « Tenez, fait-il, je vous la donne ». Erec la reçut avec joie : il a maintenant tout ce qu'il lui faut. Tous sont en jubilation dans la maison : le père en est tout réjoui, la mère pleure de joie. Quant à la pucelle, elle gardait le silence, mais elle était pleine de joie et de liesse de lui avoir été donnée, parce qu'il était preux et courtois et qu'elle savait bien qu'il serait roi et elle-même comblée d'honneurs, puissante reine couronnée.

Ils avaient veillé très tard cette nuit-là. Les lits furent garnis de draps blancs et de couettes molles : alors cessèrent les conversations et tous s'en furent coucher allègrement. Erec dormit peu cette nuit-là. Le lendemain, avant le point du jour, il se leva vite et tôt, et son hôte en même temps que lui. Ils allèrent tous les deux prier à l'église et firent chanter par un ermite une messe du Saint-Esprit ; et ils n'oublièrent pas l'offrande. Quand ils eurent entendu la messe, tous deux s'inclinèrent devant l'autel, puis ils se rendirent à la maison.

Erec était impatient d'engager le combat. Il demande ses armes et on les lui donne : la pucelle elle-même l'arme. On ne pratique en l'occurrence ni sortilège ni charme. Elle lui lace les chaussures de fer et les coud avec une lanière en cuir de cerf ; elle lui endosse un haubert de bonnes mailles et lui lace la ventaille, lui met sur la tête le heaume brun ; elle l'arme de son mieux, de pied et cap, et lui ceint l'épée au côté. Puis il commande qu'on lui amène son cheval, et on le lui amène : il l'enfourche d'un seul bond. La pucelle apporte l'écu et la lance, qui était roide. Elle lui tend l'écu, il le prend et le suspend à son cou par la guiche. Puis elle lui met la lance au poing : il la saisit près du talon.

Erec dit alors au gentil vavasseur : « Beau sire, s'il vous plaît, faites apprêter votre fille, car je veux la conduire à l'épervier comme vous en êtes convenu avec moi. » Le vavasseur fit aussitôt seller un palefroi bai, sans perdre une minute. Le harnais n'avait rien de remarquable : la grande pauvreté où se trouvait le vavasseur ne lui permettait pas ce luxe. On passa au cheval la selle et le mors : sans ceinture et sans manteau, la pucelle monta dessus et ne se fit pas prier. Erec ne veut pas s'attarder davantage : il s'en va, ayant à son côté la fille de son hôte, tandis que les suivent ensemble le maître de la maison et la dame.

Erec chevauche, la lance droite ; auprès de lui, la svelte jeune fille. Tous le regardent à travers les rues, grands personnages et gens de peu. Tout le peuple s'en émerveille, ils se font l'un à l'autre leurs réflexions : « Qui est-ce? Qui est ce chevalier ? Il faut qu'il soit vraiment fier et hardi pour emmener cette belle jeune fille. Celui-là emploiera bien sa peine ! Il peut soutenir à bon droit que celle-ci est la plus belle ! ». L'un dit à l'autre : « Pour sûr, c'est elle qui doit gagner l'épervier ! ». Les uns faisaient l'éloge de la pucelle et il y en avait plusieurs qui disaient : « Dieu! qui peut être ce chevalier qui se tient à la droite de la belle jeune fille ? — Je ne sais, je ne sais, disait chacun, mais le heaume brun lui va à merveille, et ce haubert, et cet écu, et cette lance d'acier bien affilée. Il a belle prestance sur ce cheval, il a l'air d'un vaillant vassal ; il est très bien fait, bien taillé, de bras, de jambes et de pieds. » Tout le monde veut les regarder de près, mais eux ne se retardent pas et n'ont de cesse qu'ils ne soient arrivés devant l'épervier. Là, ils se tiennent sur le côté et ils y attendent le chevalier. Soudain, ils le voient s'avancer, son nain et sa pucelle auprès de lui. Il avait déjà appris la nouvelle qu'un chevalier était venu qui voulait conquérir l'épervier, mais il ne croyait pas qu'il y eût au monde un chevalier assez hardi pour oser lui livrer le combat ; et il croyait bien le vaincre et l'abattre. Tout le monde le connaissait : tous le saluent et lui font escorte. La foule menait derrière lui grand tapage ; les chevaliers et les sergents, les dames couraient après lui, et les pucelles à toutes jambes. Le chevalier s'avance devant tous, auprès de lui sa pucelle et son nabot. Il chevauche très orgueilleusement vers l'épervier, en tout hâte ; mais il y avait tout autour si grand presse que l'on ne pouvait en approcher de la portée d'une arbalète.

Le comte est venu sur les lieux, il marche vers les vilains et les menace d'une verge qu'il tenait en la main : les vilains refluent en arrière. Le chevalier s'avance et dit à sa pucelle, tranquillement : « Mademoiselle, cet oiseau qui est si bien mué et si beau, doit vous revenir légitimement, car vous êtes très belle et noble et il sera vôtre tant que je vivrai. Avancez, ma douce amie, pour prendre l'épervier sur la perche. » La pucelle veut tendre la main, mais Erec accourt pour le lui interdire, car il ne tient aucun compte de sa prétention : « Demoiselle, fait-il, fuyez ! Il vous convient de jouer avec un autre oiseau, car vous n'avez aucun droit sur celui-ci ; qui qu'en puisse être contrarié, cet épervier ne sera point vôtre, car une meilleure que vous le réclame, beaucoup plus belle et plus courtoise. » L'autre chevalier en est outré, mais Erec n'en fait guère de cas. Il fait avancer sa demoiselle : « Belle, fait-il, venez plus avant et prenez l'oiseau sur la perche, car c'est bien justice que vous l'ayez. Demoiselle, avancez-vous. Je me fais fort de soutenir, si quelqu'un ose se présenter en face de moi, que nulle jeune fille ne peut se comparer à vous, pas plus que la lune au soleil, ni en beauté, ni en valeur, ni en noblesse, ni en honneur. » L'autre ne put contenir son dépit quand il entendit Erec le provoquer au combat avec une telle audace : « Eh quoi ! fait-il, qui es-tu, vassal, toi qui as contre moi revendiqué l'épervier ? ». Erec lui répond hardiment : « Je suis un chevalier d'un autre pays. je suis venu conquérir cet épervier et il est juste, dût quiconque en être offusqué, que cette demoiselle le possède. — Fuis, dit l'autre, cela ne sera jamais, c'est la folie qui t'a amené ici. Si tu veux avoir l'épervier, il te faudra l'acheter chèrement. —L'acheter, vassal et à quel prix ? — Il te faut combattre avec moi, à moins que tu ne m'abandonnes cet épervier. — Vous venez de dire une folie, fait Erec, à mon sens ; ce sont des menaces en l'air, car je ne vous crains guère. — En ce cas, je te défie sans désemparer, car cela ne peut pas se passer sans combat. » Erec répond : « Que Dieu y pourvoie ! Je n'ai jamais rien désiré aussi vivement. » Vous allez entendre maintenant les coups qui furent donnés.

Le terrain était dégagé et vaste ; la foule l'entourait de toutes parts. Les deux chevaliers s'éloignent l'un de l'autre de plus d'un arpent et ils éperonnent leurs chevaux pour engager le combat ; ils s'attaquent avec le fer de leurs lances et se heurtent avec une telle violence que les écus sont percés et défoncés, que les bois des lances se brisent et volent en éclats et que, finalement, les arçons sont mis en pièces. Il leur faut vider les étriers : tous deux bondissent sur le sol et les chevaux s'enfuient à travers la campagne. Mais ils ont tôt fait de se remettre sur pieds. Ils n'avaient pas fait mauvais emploi de leurs lances : ils tirent maintenant leurs épées du fourreau, essaient farouchement de se frapper avec le tranchant, échangent de grands coups ; les heaumes se brisent et résonnent. Terrible est le combat des épées ; ils se frappent l'un l'autre violemment sur le col, car ils n'épargnent en rien leur peine, ils disloquent tout ce qu'ils atteignent, tranchent les écus, faussent les hauberts ; le fer est rouge de sang vermeil. La bataille dure longuement ; ils se frappent à coups si redoublés qu'ils sont tout épuisés et que leur vigueur faiblit. Les deux pucelles pleurent ; chacun voit la sienne pleurer, tendre les mains vers Dieu et le prier qu'il donne l'honneur de la bataille à celui qui peine pour elle.

« Vassal, dit le chevalier, retirons-nous un peu en arrière et demeurons quelque temps en repos. Nous frappons de trop faibles coups : il nous convient d'en frapper de meilleurs, car le soir va bientôt venir. C'est chose honteuse et très laide que ce combat dure si longtemps : il faut que, pour nos amies, nous fassions un nouvel effort avec nos lames d'acier. — Bien dit », répond Erec. Alors, ils se reposent un instant. Erec regarde du côté de son amie qui, très doucement, prie pour lui, et dès qu'il l'a vue, sa force aussitôt s'est accrue ; pour son amour et sa beauté, il a retrouvé toute son audace. Il se souvient de la reine à qui il avait dit dans le bois qu'il vengerait sa honte ou la redoublerait : « Hé, mauvais que je suis, fait-il, qu'est-ce que j'attends ? Je n'ai pas encore vengé l'outrage auquel ce vassal a consenti quand son nain me frappa dans le bois. » Il sent renaître son courroux ; il interpelle le chevalier avec colère : « Vassal, fait-il, je vous provoque à nouveau au combat : nous avons fait une trop longue pose ; recommençons la mêlée ». L'autre lui répond : « Sans déplaisir. » Alors, ils s'affrontent derechef. A ce premier assaut, si Erec ne s'était pas bien mis en garde, le chevalier l'aurait blessé ; alors le chevalier le frappe à découvert au-dessus de l'écu, si bien qu'il tranche une partie du heaume au ras de la coiffe blanche ; l'épée, en descendant, fend l'écu jusqu'à la boucle et tranche, sur le côté, plus d'un empan du haubert. Erec aurait dû être mis à mal : l'acier froid pénétra, sur la hanche, jusqu'à la chair. Dieu le protégea cette fois-là : si la lame n'avait pas gauchi vers le dehors, elle l'eût tranché par le milieu du corps. Mais Erec ne se trouble de rien : si l'autre lui en prête, il le lui rend bien. Très hardiment, il l'attaque et le frappe le long de l'épaule ; il lui assène un tel coup que l'écu ne résiste pas et que le haubert ne peut retenir l'épée de pénétrer jusqu'à la ceinture. Les deux vassaux sont pleins de fierté : ils luttent d'égal à égal, au point que nul ne peut gagner sur l'autre un seul pied de terre. Ils ont tellement démaillé leurs hauberts et disloqué leurs écus qu'ils n'ont, sans mentir, plus rien d'entier dont ils puissent se couvrir : ils se frappent tout à découvert. Chacun perd du sang en quantité, tous les deux s'affaiblissent. Le chevalier frappe Erec, Erec riposte : il l'atteint de toute sa force sur le heaume, si bien que l'autre en est tout étourdi ; alors il frappe et refrappe sans ménagement, lui assène trois coups d'affilée, écartèle complètement son heaume et tranche la coiffe par dessous. L'épée pénètre jusqu'à la tête et lui fend un os du crâne, mais elle ne touche pas la cervelle. L'homme penche en avant de tout son corps et chancelle ; tandis qu'il chancelle, Erec le pousse et le fait tomber sur le côté droit. Puis il le tire par le heaume, le lui arrache violemment de la tête et lui délace la ventaille; il lui découvre la tête et le visage.

Au souvenir de l'affront que son nain lui avait fait dans le bois, il lui aurait volontiers coupé la tête si le vaincu n'eût crié merci : « Hé, vassal, fait-il, tu m'as réduit en ta puissance. Pitié ! ne me tue pas. Dès lors que tu m'as vaincu et pris, si tu me tuais désormais, tu n'en tirerais gloire ni renommée : tu ferais là trop grande vilenie. Prends mon épée : je te la rends. » Erec ne la prend pas, mais il dit: « C'est bien, je ne te tue pas. — Ah, noble chevalier, merci ! Pour quel forfait, pour quel tort dois-tu donc me haïr à mort ? Jamais je ne t'ai vu, que je sache ; jamais je ne t'ai causé de dommage, jamais je ne t'ai infligé de honte ni d'outrage. » Erec répond : « Si, vous l'avez fait — Hé, sire, dites-le donc ! Je ne vous ai jamais vu, que je sache ; si j'ai commis quelque tort envers vous, je me tiendrai à votre merci. » Erec dit alors : « Vassal, c'est moi qui étais hier dans la forêt avec la reine Guenièvre, lorsque tu as permis que ton ignoble nain frappât la pucelle de ma dame : c'est grand vilenie de frapper une femme. Et ensuite il m'a frappé à mon tour ; tu me tenais alors pour bien vil et tu m'as fait un trop grand affront quand, voyant un tel outrage, tu l'as toléré et tu t'es complu à voir cet avorton, ce nabot, frapper la pucelle et moi-même. Pour ce forfait, je dois te haïr : tu m'as traité trop indignement. Il faut donc t'engager à demeurer mon prisonnier ; et maintenant, sans nul répit, tu vas te rendre en droite ligne auprès de ma dame, car tu la trouveras sans faute à Caradigan, si tu y vas. Tu peux encore y arriver dès ce soir : il n'y a pas sept lieues, je pense. Tu te remettras en sa main, toi, ta pucelle et ton nain, pour faire sa volonté. Et dis-lui de ma part que je viendrai demain joyeusement et que j'amènerai une jeune fille si belle, si sage, si vertueuse qu'elle n'a nulle part sa pareille : tu pourras le lui dire en toute vérité. Et maintenant, je veux, moi, connaître ton nom. » L'autre lui dit alors, bon gré, mal gré : « Sire, je me nomme Yder, fils de Nut. Ce matin encore, je ne croyais pas qu'un seul homme pût me vaincre en chevalerie. Maintenant, j'ai trouvé meilleur que moi et plus expérimenté : vous êtes très vaillant chevalier. Vous en avez ma parole, je vous le promets, je vais aller maintenant, sans plus attendre, me rendre à la reine. Mais dites-moi, ne me le cachez pas, de quel nom vous appelle-t-on ? Qui dirai-je qui m'envoie ? Je suis prêt à me mettre en route. » Erec lui répond : « Je vais te le dire, je ne te cacherai pas mon nom plus longtemps. Je me nomme Erec ; va, dis-lui que je t'ai envoyé vers elle. — Je m'en vais, j'y consens ; je me mettrai moi-même, avec mon nain et ma pucelle, à son entière discrétion : vous auriez tort d'avoir le moindre doute sur ce point. Et je lui apprendrai tout ce qui vous est advenu, à vous et à votre pucelle. »

Alors Erec accepte la parole du chevalier. Tous étaient venus assister à leur séparation : le comte et les gens de son entourage, les pucelles et les barons. Il y en avait de consternés et de joyeux ; l'issue du combat affligeait l'un et plaisait à l'autre. Pour la pucelle au blanc chainse, celle au cœur noble et loyal, la fille du vavasseur, un grand nombre se réjouissaient; pour Yder et pour sa mie étaient dolents ceux qui l'aimaient. Yder ne voulut pas s'attarder davantage : il se devait de tenir sa parole. Sur le champ, il monte à cheval. Pourquoi vous en ferais-je un long conte ? Il emmène son nain et sa pucelle ; ils traversent le bois et la plaine et suivent tout droit le chemin jusqu'à Caradigan. Aux galeries extérieures de la grand salle se tenaient alors ensemble messire Gauvain et Keu, le sénéchal ; un grand nombre de barons, ce me semble, les y avaient suivis. Ils virent bien ceux qui arrivaient ; le sénéchal les aperçut le premier et dit à monseigneur Gauvain : « Sire, mon cœur devine que ce vassal qui chemine là-bas, c'est celui dont la reine dit qu'il lui fit hier si grand déplaisir. Il me semble qu'ils sont trois : je vois le nain et la pucelle. — En vérité, fait messire Gauvain, c'est une pucelle et un nain qui viennent avec le chevalier ; ils viennent vers nous par le plus court chemin. Le chevalier est tout armé, mais son écu n'est pas entier ; si la reine le voyait, je pense qu'elle le reconnaîtrait. Hé, sénéchal, appelez-la donc ! ». Celui-ci y alla aussitôt et la trouva dans une chambre. « Dame, fait-il, vous souvient-il du nain qui hier vous courrouça et meurtrit votre pucelle ? — Oui, je m'en souviens bien, sénéchal, en avez-vous des nouvelles ? Pourquoi me le remettre en mémoire? — Dame, parce que j'ai vu venir un chevalier errant, armé, sur un destrier gris de fer, et, si mes yeux ne m'ont menti, il a une pucelle avec lui ; et il m'est avis qu'avec eux vient le nain qui tient le fouet dont Erec fut frappé au cou. » Alors la reine se leva et dit : « Allons-y, sénéchal, pour voir si c'est bien le vassal que nous pensons. Si c'est lui, croyez bien que vous en dirai la vérité dès que je le verrai. — Je vais vous conduire, dit Keu ; venez-donc là-haut dans les galeries où sont nos compagnons ; c'est là que nous l'avons vu venir, et messire Gauvain lui-même vous y attend. — Dame, allons-y, nous avons trop tardé ici. » La reine alors s'en est allée, elle est venue aux fenêtres et s'est placée debout près de monseigneur Gauvain : elle reconnut bien le chevalier : « Ah ! fait-elle, c'est lui ! Il a été en grand péril, il a livré bataille. Je ne sais si Erec a vengé son offense ou si celui-ci a vaincu Erec, mais il porte bien des coups sur son écu, son haubert est couvert de sang : il y a dessus plus de rouge que de blanc. — C'est vrai, répond messire Gauvain ; dame, je suis bien certain que vous ne mentez en nulle chose : son haubert est ensanglanté, il est tout froissé et martelé. Il paraît bien que ce chevalier a combattu ; et nous pouvons savoir, sans nulle erreur, que la bataille a été dure. Nous l'entendrons bientôt dire telle chose dont nous aurons ou joie ou chagrin : ou bien Erec l'envoie ici vers vous comme prisonnier à votre merci, ou bien il vient par bravade se vanter follement parmi nous d'avoir vaincu ou mis à mort Erec. Je ne pense pas qu'il apporte d'autre nouvelle. » La reine dit : « Je le crois. — Ce peut bien être », disent les autres.

A ce moment, Yder, qui leur apporte la nouvelle franchit la porte : tous descendent des galeries et vont à sa rencontre. Yder vient au perron, en bas ; c'est là qu'il descend de cheval. Gauvain saisit la pucelle sur son cheval et la pose à terre ; le nain descend de son côté. Il y avait là plus de cent chevaliers ; quand tous trois eurent mis pied à terre, ils les amenèrent devant le roi. Dès qu'Yder vit la reine, il s'avança d'une seule traite jusqu'à ses pieds, salua d'abord le roi et tous ses chevaliers et dit : « Dame, en votre prison m'envoie ici un gentilhomme, chevalier vaillant et preux, celui à qui mon nain fit hier sentir les nœuds de son fouet en plein visage ; il m'a vaincu par les armes et réduit en son pouvoir. Dame, je vous amène ici le nain et ma pucelle à votre merci pour faire tout ce qu'il vous plaît. » La reine ne se tait pas plus longtemps : elle lui demande des nouvelles d'Erec. « Dites-moi, sire, fait-elle, savez-vous quand Erec viendra ? — Dame, demain, et il amènera avec lui une pucelle : je n'en ai jamais connu d'aussi belle. » Quand il eut transmis son message, la reine, qui était prudente et sage, lui dit courtoisement : « Ami, dès lors que vous vous êtes constitué mon prisonnier, votre prison sera très légère : je n'ai nul désir de vous faire du mal. Mais dites-moi, maintenant, aussi vrai que Dieu puisse vous aider, quel nom est le vôtre ». Il lui dit : « Dame, j'ai nom Yder, fils de Nut. » On reconnut qu'il disait vrai.

Alors la reine se leva, s'en alla devant le

roi et dit : « Sire, vous avez vu maintenant et vous avez bien entendu ce qui a été dit d'Erec, le vaillant chevalier. Je vous ai donné un fort bon conseil hier quand je vous persuadai de l'attendre. Voilà pourquoi il convient d'accepter un bon conseil ! ». Le roi répondit : « Ce n'est pas fable, cette parole est véridique. Celui qui croit un conseil n'est pas fou ; nous avons été bien inspiré hier de croire le vôtre. Mais si vous m'aimez quelque peu, proclamez ce chevalier quitte de sa prison, à condition qu'il demeure dans ma maison et soit de ma mesnie et de ma cour ; et, s'il ne le fait pas, tant pis pour lui ! ». Le roi n'eut pas plutôt dit cette parole que la reine libéra le chevalier en bonne et due forme, mais ce fut à la condition qu'il se fixerait tout à fait à la cour. Il ne se fit guère prier et accepta d'y demeurer ; il fit dès lors partie de la cour et de la mesnie. Il n'était pas en ce lieu depuis fort longtemps que des valets étaient déjà prêts et se hâtaient de le désarmer.

Il nous faut maintenant reparler d'Erec, qui se trouvait encore sur le terrain où il avait livré le combat. Jamais, je crois, quand Tristan tua le Morholt et le vainquit dans l'île Saint-Samson, il n'y eut joie pareille à celle qui régnait ici pour Erec. Tous publiaient hautement ses louanges, petits et grands, maigres et gros ; tous faisaient grand cas de sa chevalerie. Il n'y avait chevalier qui ne dît : « Dieu, quel vassal ! Il n'a pas son pareil sous le ciel. » Il regagne son logis. Il est l'objet de grands éloges et de maintes conversations Le comte lui-même, qui se réjouissait plus que nul autre, l'embrassa et dit : « Sire, s'il vous plaisait, vous devriez bien, et à juste titre, prendre votre hôtel en ma maison, puisque vous êtes fils du roi Lac ; si vous acceptiez mon hospitalité, vous me feriez grand honneur, car je vous tiens pour mon seigneur. Beau sire, par votre grâce, je vous prie de demeurer chez moi. » Erec répond : « Que cela ne vous fâche pas, mais je ne laisserai pas ce soir mon hôte qui m'a témoigné tant de considération quand il m'a donné sa fille. Et qu'en dites-vous, sire, ce don n'est-il pas bel et riche ? — Oui, beau sire, fait le comte ; ce don est bel et bon, comme vous le dites. La pucelle est très belle et sage, et elle est de très haut parage. Certes, j'ai le cœur tout aise — sachez que sa mère est ma sœur — quand vous daignez prendre ma nièce. Je vous prie encore de venir loger chez moi ce soir. — Laissez-moi en paix, répond Erec ; je ne voudrais le faire à aucun prix. » L'autre voit qu'il ne gagne rien à le supplier et dit : « Sire, à votre gré ! N'en parlons plus. Mais moi-même et tous mes chevaliers serons avec vous cette nuit pour vous faire fête et vous tenir compagnie. » Quand Erec l'entend, il l'en remercie. Alors Erec vint chez son hôte et le comte avec lui, à ses côtés ; dames et chevaliers les accompagnaient. Le chevalier en était tout joyeux. Dès qu'Erec fut entré, plus de vingt sergents accoururent pour lui enlever ses armes prestement. Quiconque se trouvait en cette maison avait le spectacle d'une joie extrême. Erec alla s'asseoir le premier, puis ils s'assirent tous en cercle sur les lits, les sièges et les bancs. Le comte avait pris place à côté d'Erec et, entre eux, la belle jeune fille qui éprouvait, pour son seigneur, telle joie que jamais jeune fille n'en eût de plus grande.

Erec appelle le vavasseur et lui dit une parole belle et bonne ; il commence ainsi : « Bel ami, bel hôte, beau sire, vous m'avez fait un grand honneur, mais vous en serez bien récompensé. Demain, votre fille viendra avec moi à la cour du roi : c'est là que je veux la prendre pour femme et, si vous daignez attendre un peu, je vous enverrai chercher dans un bref délai et vous ferai conduire en ma terre, qui est à mon père et sera mienne ensuite ; elle est loin, elle n'est pas près d'ici. Là, je vous donnerai deux châteaux, très bien bâtis, très puissants et très beaux ; vous serez sire de Roadan, qui fut construit dès le temps d'Adam, et d'un autre château voisin, qui ne lui cède pas en valeur du prix d'un jonc : les gens l'appellent Montrevel, mon père n'a pas de meilleur château. Avant trois jours passés, je vous aurai envoyé en quantité or et argent, vair et gris, étoffes de soie et de grand prix pour vous vêtir, vous et votre femme qui est ma chère et douce dame. Demain, aux premières lueurs de l'aube, j'emmènerai votre fille à la cour dans la robe et l'accoutrement qu'elle porte ; je veux que ma dame la reine la revête de sa robe d'apparat, qui est de soie teinte en graine. »

Il y avait là une pucelle très sage, très avisée, de grande valeur ; elle était assise sur un banc à côté de la pucelle au chainse blanc. Elle était sa cousine germaine et nièce du comte en personne. Elle s'adressa au comte en ces termes : « Sire, ce sera grand honte, pour vous plus que pour nul autre, si ce seigneur emmène avec lui votre nièce dans un si pauvre accoutrement. » Le comte lui répond : « Je vous prie, ma douce nièce, donnez-lui, de vos robes à vous, celle que vous tenez pour la plus belle. » Erec a entendu ce propos et il dit : « Sire, ne parlez pas de cela. Sachez bien une chose : je ne voudrais pour rien au monde qu'elle reçût une autre robe tant que la reine ne lui en aura pas donné une. » Quand la demoiselle l'entend, elle lui répond et dit : « Hé, beau sire, puisque vous voulez emmener ma cousine en tel équipage, avec le blanc chainse et la chemise, je veux lui faire un autre don. Puisque vous ne voulez à aucun prix qu'elle ait une de mes robes, j'ai trois bons palefrois, jamais comte, ni roi n'en eût de meilleurs : un alezan, un pommelé, le troisième à balzanes. Sans mentir, parmi cent palefrois, on n'en trouverait pas un meilleur que le pommelé. Les oiseaux qui voltigent en l'air ne vont pas plus vite que lui. Jamais personne ne l'a vu faire un faux pas : un enfant peut le chevaucher. Il est tel qu'il convient pour une jeune fille, car il n'est ni ombrageux ni rétif, il ne mord ni ne rue, il n'est pas violent. Celui qui en cherche un meilleur ne sait pas ce qu'il vaut ; celui qui le chevauche ne se fait pas de souci, il va plus à l'aise et plus doucement que s'il était sur un navire. — Ma douce mie, répond Erec, ce don-là, je ne le refuse pas, pourvu que ma demoiselle l'accepte ; bien mieux, il me plaît et je ne veux pas qu'elle néglige de l'accepter. » Aussitôt la jeune fille appelle un sergent à son service et lui dit : « Bel ami, allez, sellez mon palefroi pommelé et amenez-le moi vite. » Et celui-ci exécute ses ordres : il met au cheval la selle et le mors, se met en devoir de le harnacher bellement, puis il monte sur le palefroi : quand Erec le vit, il ne lui ménagea pas les éloges, car il le trouva beau et racé. Il commanda à un sergent d'aller l'attacher dans l'écurie, à côté de son propre destrier. Alors tous se séparèrent ; ils s'étaient livrés, durant cette nuit, à une grande joie. Le comte se retire en son hôtel et laisse Erec chez le vavasseur, en lui promettant qu'il lui fera la conduite le lendemain matin, à son départ.

Ils dormirent toute cette nuit-là. Le matin, à l'aube claire, Erec se dispose au départ ; il ordonne de seller ses chevaux et éveille sa belle amie : elle s'habille et se prépare. Le vavasseur se lève et sa femme aussi : pas un chevalier, pas une dame qni ne mette ses atours pour faire escorte à la pucelle et au chevalier. Tous sont montés à cheval et le comte y monte aussi. Erec chevauche à côté du comte et, auprès de lui, sa belle amie qui n'a pas oublié l'épervier : elle s'amuse à jouer avec son épervier, elle n'emporte nulle autre richesse. Tous étaient fort joyeux en les escortant. Au moment de la séparation, le noble comte voulut envoyer avec Erec une partie de ses gens parce qu'ils lui auraient fait honneur s'ils étaient allés avec lui ; mais Erec déclara qu'il n'emmènerait personne et ne souhaitait nulle compagnie, si ce n'est celle de son amie. Puis il leur dit : « A Dieu vous recommande. »

Ils les avaient escortés un bon bout de chemin. Le comte embrasse Erec et sa nièce et les recommande à Dieu le miséricordieux. Le père et la mère aussi donnent à leur fille des baisers nombreux et répétés, ils ne peuvent se retenir de pleurer. Au moment de la séparation, la mère pleure, la pucelle pleure et le père aussi. Tel est l'amour, telle est la nature, telle est la tendresse pour l'enfant que l'on a élevé. Ce qui les faisait pleurer, c'était leur profond attendrissement et la douceur de l'amitié qu'ils avaient pour leur enfant ; ils savaient pourtant bien que leur fille se rendait en tel lieu qu'il leur en viendrait beaucoup d'honneur. Ils pleuraient d'amour et de tendresse parce qu'ils se séparaient de leur fille ; ils ne pleuraient pas pour autre chose, car ils savaient bien qu'en définitive ils en tireraient honneur. Au dernier instant, ils pleurèrent beaucoup ; c'est en pleurant qu'ils se recommandèrent à Dieu les uns les autres. Ils s'en vont maintenant et ne s'attardent pas davantage.

Erec prend congé de son hôte, car il lui tarde fort d'arriver à la cour du roi. Il se réjouit de son aventure ; et s'il est heureux de son aventure, c'est qu'il a une amie d'une extraordinaire beauté, sage, courtoise et généreuse. Il ne peut se rassasier de la regarder ; plus il la regarde, plus elle lui plaît. Il ne peut se retenir de l'embrasser ; il prend plaisir à s'approcher d'elle et se sent en repos rien qu'à la regarder. Il ne cesse d'admirer sa tête blonde, ses yeux riants et son front clair, le nez, le visage et la bouche, et ce spectacle est pour lui d'une douceur qui touche son cœur. Il admire tout jusqu'à la hanche : le menton et la gorge blanche, les flancs et les côtés, les bras et les mains. Mais la demoiselle, pour sa part, admire le jeune homme avec non moins d'intérêt, et d'un cœur aussi loyal qu'il la contemple elle-même sans se lasser. Certes, il n'auraient pas payé rançon pour être dispensés de se regarder mutuellement. Ils étaient égaux et pairs en courtoisie, en beauté et en générosité. Ils se ressemblaient à tel point par la manière d'être, l'éducation et le caractère que nul homme résolu à dire la vérité n'aurait pu décider quel était le meilleur, ni le plus beau, ni le plus sage. Ils avaient même disposition d'âme et convenaient parfaitement l'un à l'autre. Chacun d'eux prend le cœur de l'autre : jamais deux si belles figures ne furent assemblées par la loi du mariage.

Ils ont tant chevauché ensemble qu'à midi juste, ils approchaient du château de Caradigan, où on les attendait tous les deux. Pour voir s'ils les apercevraient, les meilleurs barons de la cour étaient montés aux fenêtres. La reine Guenièvre y accourt, et le roi lui-même, Keu et Perceval le Gallois, puis messire Gauvain, et Cort, le fils du roi Alès, et Lucan le bouteillier ; les bons chevaliers n'y manquaient pas. Ils ont aperçu Erec qui venait et son amie qu'il amenait : tous l'ont parfaitement reconnu, d'aussi loin qu'ils l'ont vu. La reine en est toute joyeuse ; toute la cour est pleine de joie à cause de sa venue, car tous l'aiment sans exception.

Dès qu'il arrive devant la salle, le roi descend à sa rencontre, et la reine aussi de son côté : tous lui disent : « Dieu vous garde ! », et ils font fête à la pucelle, dont ils apprécient la grande beauté. Le roi lui-même l'a prise entre ses bras et descendue de son palefroi. Le roi savait bien les belles manières, et, à ce moment-là, il était de fort bonne humeur. Il fit beaucoup d'honneur à la pucelle et la conduisit par la main, en haut, dans la grand salle de pierre. Derrière eux, Erec y monta et la reine aussi, tous deux se tenant par la main, et il lui dit : « Je vous amène, dame, ma pucelle et mon amie, revêtue de pauvres hardes ; telle qu'elle me fut donnée, ainsi je vous l'ai amenée. Elle est la fille d'un pauvre vavasseur ; Pauvreté abaisse plus d'un homme. Son père est généreux et courtois, mais de richesses, il n'en est pas trop chargé ! La mère est une très noble dame, qui a pour frère un noble comte. Ni pour la beauté, ni pour le lignage, je n'ai cure de justifier mon mariage avec cette demoiselle. Pauvreté lui a fait user ce blanc chainse à tel point que les deux manches sont trouées au coude. Et pourtant, s'il m'avait plu, elle n'aurait pas manqué de bonnes robes, car une pucelle, sa cousine, voulait lui donner une robe d'hermine et de soie, vaire ou grise ; mais je n'aurais accepté pour rien au monde qu'elle revêtît une autre robe avant que vous ne l'eussiez vue. Ma douce dame, pensez-y maintenant, car elle a besoin, vous le voyez bien, d'une belle robe bien seyante. » Et la reine lui répond sans hésiter : « Vous avez fort bien fait ; il est juste qu'elle ait de mes robes, et je vais lui en donner une, belle et bonne, tout de suite, fraîche et neuve. » La reine aussitôt l'emmène en sa maîtresse chambre et ordonne qu'on lui apporte promptement le bliaut tout frais neuf et le manteau d'une toilette à dessins croisés qui avait été taillée pour elle-même.

Celui qui avait reçu l'ordre apporta le manteau et le bliaut, qui était fourré de blanche hermine jusqu'aux manches ; aux poignets et au collet, il y avait, pour n'en faire nul mystère, plus de deux cents marcs d'or battu, avec des pierres de très grande puissance, violettes et vertes, bleu foncé et brunes, enchâssées sur toute la surface de l'or. Le bliaut était très riche, mais, en vérité, le manteau n'était pas, à ma connaissance, d'une moindre valeur. On n'y avait pas encore mis d'attaches, car le tout était nouvellement œuvré : le bliaut et le manteau. Celui-ci était de bonne qualité et fin, garni au collet de deux zibelines. Dans les attaches, il y avait une once d'or : d'un côté se trouvait une jacinthe, de l'autre un rubis qui jetait plus de feux qu'une escarboucle. La panne était d'hermine blanche, la plus belle et la plus fine qu'on ait jamais vue. La pourpre était habilement rehaussée de croisettes de toutes couleurs : violettes, rouges et bleu foncé, blanches et vertes, violettes et jaunes. La reine a demandé des attaches œuvrées de cinq aunes de fils de soie et d'or ; on lui en a donné de belles et bien travaillées. Aussitôt, elle les fait bien vite fixer au manteau, et elle en charge un homme qui était passé maître en ce genre de travail.

Quand le manteau ne laisse plus rien à désirer, la généreuse et noble dame prend par le cou la pucelle au blanc chainse et lui dit une généreuse parole : « Mademoiselle, ce bliaut qui vaut plus de cent marcs d'argent, je vous commande de le mettre à la place de votre chainse, car je veux vous en faire honneur maintenant. Et agrafez ce manteau par dessus ; une autre fois, je vous donnerai davantage. »

La jeune fille se garde bien de refuser : elle prend la toilette et remercie. Deux pucelles l'ont conduite dans une chambre retirée ; une fois dans la chambre, elle enlève son chainse, puis met le bliaut, l'ajuste autour de sa taille qu'elle serre d'une riche ceinture d'orfroi. Quant à son chainse, elle commande qu'on le donne pour l'amour de Dieu, puis elle agrafe le manteau. Certes, elle ne faisait pas sombre figure, car ces atours lui seyaient si bien qu'elle en était plus belle encore. Les deux pucelles, d'un fil d'or, lui galonnent sa blonde chevelure, mais ses cheveux étaient plus luisants que le fil d'or, si fin. Les pucelles lui posent sur la tête un cercle d'or orné de fleurs de diverses couleurs. Du mieux qu'elles peuvent, elles s'emploient à l'embellir, en sorte qu'il n'y ait rien à retoucher. Puis une pucelle lui met au col deux petits fermaux d'or niellé qu'une topaze tenait assemblés : cette pucelle était si belle et avenante qu'on n'eût trouvé sa pareille, je crois, en nulle terre, quand même on eût cherché et exploré en tous sens, tant Nature l'avait bien formée.

La jeune fille sortit de la chambre et vint rejoindre la reine. Celle-ci lui fit toutes sortes d'amitiés : elle l'aimait et se plaisait en sa compagnie, parce qu'elle était belle et bien apprise. L'une prit l'autre par la main : elles sont venues devant le roi. Quand le roi les aperçut, il se tint debout devant elles. Il y avait dans la salle, quand elles y entrèrent, tant de chevaliers qui se levèrent à leur approche que je ne sais pas en nommer la dixième partie, ni la treizième, ni la quinzième. Mais je puis bien vous dire les noms de quelques-uns des meilleurs barons, de ceux de la Table Ronde, qui étaient les meilleurs du monde.

Au premier rang de tous les bons chevaliers doit venir d'abord Gauvain ; le second est Erec, fils de Lac le troisième Lancelot du Lac, le quatrième Gornemant de Gohort. Le cinquième est le Beau Couard, le sixième le Laid Hardi, le septième Meliant des Liz, le huitième Mauduit le Sage, le neuvième Dodin le Sauvage ; que Gandeluz soit compté pour le dixième, car il y avait en lui maintes vertus.

Je vous citerai les autres sans les compter, parce que ce dénombrement m'embarrasse. Ivain le Preux était assis un peu plus loin, d'un autre côté Ivain l'Avoutre, et Tristan qui jamais ne rit était assis auprès de Blioberis. Après venait Karados Court-Bras, un chevalier de grand secours, et Caveron de Roberdic, et le fils au roi Quenedic, et le valet de Quintareus, et Yder du Mont Douloureux, Gaheriez et Keu d'Estraus, Amauguin et Goles le Chauve, Girflet, fils de Do, et Taulas, qui ne fut jamais las de porter les armes, Loholt, fils du roi Arthur, et Sagremor le Desreé, qu'il ne convient pas d'oublier, non plus que Bédoier le connétable, expert aux échecs et aux tables, ni Bravaïn, ni le roi Lot, ni Galegantin le Gallois.

Quand la belle jeune fille étrangère vit tous les chevaliers en cercle qui fixaient sur elle leurs regards, elle inclina la tête vers le sol ; elle en fut confuse, ce n'était pas merveille, et son visage en devint tout vermeil. Mais la pudeur lui seyait si bien qu'elle en parut beaucoup plus belle. Quand le roi la vit confuse, il ne voulut pas s'éloigner d'elle ; il la prit doucement par la main et la fit asseoir près de lui, à sa droite. A sa gauche s'assit la reine, qui dit au roi : « Sire, à ce que je crois, celui-là doit être bienvenu à la cour d'un roi, qui peut conquérir par les armes une si belle dame en terre étrangère. Il y avait tout bénéfice à attendre le retour d'Erec : maintenant, vous pouvez prendre le baiser à la plus belle de la cour ; je ne pense pas que personne ne tourne la chose en mauvaise part. Nul ne m'accusera de mensonge quand je dis que celle-ci est la plus belle des pucelles qui sont ici et de celles du monde entier. »

Le roi répond : « Ce n'est pas mensonge. A celle-ci, si l'on ne m'en conteste pas le droit, je donnerai l'honneur du blanc cerf. » Puis il dit aux chevaliers : « Seigneurs, qu'en dites-vous ? Que vous en semble ? Celle-ci est-elle de corps et aussi de visage, et par toutes les qualités qui conviennent à une jeune fille, la plus noble ? Est-elle la plus belle ? Et cela, comme il me semble, d'ici jusqu'au lieu où le ciel se joint à la terre ? Je dis que celle-ci a droit sans conteste à l'honneur du blanc cerf. Et vous, seigneurs, qu'en voulez-vous dire ? Avez-vous quelque chose à objecter ? Si quelqu'un veut s'y opposer, qu'il exprime dès maintenant sa pensée. Je suis roi, je ne dois donc pas mentir ni consentir à vilenie, ni à fausseté, ni à démesure ; je dois observer raison et droiture comme il appartient à un roi loyal, qui doit maintenir la loi, la vérité, la bonne foi et la justice. Je ne voudrais en aucune façon faire tort ou déloyauté, pas plus au faible qu'au puissant : il ne convient pas que nul ait à se plaindre de moi. Et je ne veux pas laisser tomber en désuétude la coutume et l'usage que ma lignée a toujours eu à cœur de maintenir Vous devriez être affligés si je cherchais à établir une autre coutume et d'autres lois que celles qu'observait le roi mon père. Je veux garder et maintenir, quoi qu'il m'en doive advenir, la tradition de mon père Pandragon, qui était roi et empereur. Dites-moi donc tout ce que vous désirez, et que nul n'hésite à parler franc : bien que cette jeune fille ne soit pas de ma maison, elle mérite bien et à bon droit de recevoir le baiser du blanc cerf. Je veux en savoir la vérité ». Ils s'écrient tous d'une seule voix : « Par Dieu, sire, et par sa croix, vous pouvez bien décider en toute justice que celle-ci est la plus belle : en elle il y a encore plus de beauté qu'il n'y a de clarté dans le soleil. Vous pouvez lui donner le baiser sans hésiter, nous l'octroyons tous unanimement. »

Quand le roi voit que tous approuvent son projet, il ne tarde plus à la baiser. Le roi l'a baisée en homme courtois, à la vue de tous ses barons, en lui disant : « Ma douce amie, je vous donne mon amour sans vilenie, sans mauvaise pensée et sans folie, je vous aimerai de bon cœur. » Le roi, par cette aventure, remit en vigueur la coutume du blanc cerf, telle qu'elle devait être observée à la cour.

Ici finit le premier couplet.

Quand le baiser du cerf eut été pris, selon la coutume du pays, Erec, en homme courtois et loyal, se préoccupa de son hôte peu fortuné : il ne voulait pas manquer à la promesse qu'il avait faite. Il lui tint si bien parole qu'il lui envoya sans plus attendre cinq sommiers, bien reposés et gras, chargés de vêtements et d'étoffes, de bougran et d'écarlate, de marcs d'or et d'argent en plaques, de vair, de gris, de zibeline, d'étoffes de pourpre et d'osterin. Quand les sommiers furent chargés de tout ce qui peut être utile à un prudhomme, il désigna, pour les conduire, dix chevaliers et dix sergents de sa mesnie et de ses gens. Il leur recommanda et les pria de saluer son hôte et de lui rendre, ainsi qu'à sa femme, les mêmes honneurs seigneuriaux qu'à lui-même. Quand ils leur auraient présenté les sommiers qu'ils leur amenaient, l'or, l'argent, les besants et tous les riches habillements qui étaient dans les malles, ils conduiraient à grand honneur la dame et le seigneur en son royaume d'Estre-Galles. Il leur avait promis deux châteaux, les plus beaux et les mieux situés de tout le pays, et ceux qui redoutaient le moins la guerre ; on appelait l'un Montrevel, l'autre avait nom Roadan. Une fois arrivés en son royaume, ils leur livreraient ces deux châteaux avec les rentes et les droits de justice, ainsi qu'il le leur avait promis.

L'or et l'argent, les sommiers, les vêtements et les deniers, dont il y avait en abondance, les messagers ont tout présenté le jour même à l'hôte d'Erec, car ils n'avaient cure de s'attarder. Ils emmenèrent le vavasseur et sa femme dans le royaume d'Erec en leur témoignant beaucoup d'égards. En trois jours, ils y arrivèrent ; ils leur livrèrent les tours des villes fortes sans que le roi Lac y fît la moindre objection. Le roi leur fit joyeux accueil et grand honneur et les prit en affection à cause d'Erec, son fils. Il leur concéda les villes fortes en pleine propriété et leur fit confirmer et jurer par les chevaliers et les bourgeois qu'ils leur seraient affectionnés comme à leurs seigneurs légitimes. Quand ce fut fait et réglé, les messagers revinrent aussitôt auprès d'Erec, leur seigneur, qui les reçut de bonne grâce et leur demanda des nouvelles du vavasseur et de sa femme, de son père et du royaume ; ils lui en donnèrent de belles et bonnes.

Peu de temps après, le terme approchait qui avait été fixé pour les noces ; il en coûtait fort à Erec de l'attendre et il ne voulait plus souffrir aucun délai. Il alla demander au roi la permission de célébrer ses noces en sa cour, si la chose ne lui déplaisait point. Le roi lui accorda cette requête et envoya à travers son royaume convoquer rois, ducs et comtes, tous ceux qui tenaient terre de lui, afin que nul ne fût assez hardi pour ne pas être là à la Pentecôte. Il n'y en eût aucun qui osât demeurer chez lui : chacun vint à la cour dès qu'il eut recu le mandement royal.

Je vous dirai donc, écoutez-moi, quels furent les comtes et les rois. Le comte Branles de Gloucester y vint avec un riche équipage, menant en dextre cent chevaux. Après vint Ménargormon, qui était sire d'Eglimon ; celui de la Haute Montagne y vint en très fastueuse compagnie, le comte de Traverain avec cent compagnons choisis parmi ses gens, puis le comte Godegrain qui n'en amenait pas moins. Avec ceux que vous m'entendez nommer vint Moloas, un riche baron, et le sire de l'Ile Noire : nul n'y a jamais entendu le tonnerre, on n'y voit s'abattre ni foudre ni tempête, il n'y séjourne ni crapaud ni serpent, il n'y fait pas trop chaud et on n'y connaît pas l'hiver. Greslemuef d'Estre-Poterne y amena vingt compagnons. Son frère Guinguemar y vint : il était sire de l'île d'Avallon. Nous avons ouï dire de celui-là qu'il fut ami de la fée Morgue, et c'était vérité prouvée. David de Tintagel y vint aussi, qui n'eut jamais ni courroux ni chagrin.

Il y avait beaucoup de comtes et de ducs, mais encore bien plus de rois. Ganas de Cork, un roi de fière allure, y vint avec cinq cents chevaliers, vêtus de paile et de cendal, manteaux, chausses et bliauts. Sur un cheval de Cappadoce vint Aguiflet, le roi d'Ecosse, et il amena avec lui ses deux fils, Cadret et Quoi, deux chevaliers très redoutés. Avec ceux que je vous ai nommés vint le roi Ban de Ganieret et tous ceux qui étaient avec lui étaient de jeunes gens sans barbe ni moustache. Il amenait là une troupe très joyeuse, car il en avait deux cents en sa mesnie et il n'y en avait pas un seul, quel qu'il fût, qui ne tînt un faucon ou un autre oiseau, émerillon ou épervier, ou bel autour de moins d'un an ou dressé à prendre les grues. Quirion, le vieux roi d'Orcel, n'y amena nul jouvenceau, mais il avait deux cents compagnons dont le plus jeune avait cent ans : ils avaient les cheveux chenus et blancs, car ils avaient vécu longtemps, et leurs barbes tombaient jusqu'à la ceinture ; ils étaient très chers au roi Arthur. Vint ensuite le seigneur des nains, Bilis, le roi d'Antipodès. Celui que je viens de nommer était nain et frère de Bliant, mais Bilis était le plus petit de tous les nains, tandis que Bliant, son frère, était plus grand d'un demi-pied ou d'une paume entière que le plus grand chevalier du royaume. Pour montrer sa puissance et sa seigneurie, Bilis amena en sa compagnie deux autres rois nains qui tenaient de lui leur terre : Gribalo et Glodoalan. On s'émerveillait à les regarder. Quand ils furent arrivés à la cour, ils y furent accueillis avec beaucoup de considération, honorés et servis comme des rois, car ils étaient de très haute naissance.

Finalement, quand le roi Arthur vit assemblés tous ses barons, il en fut tout joyeux en son cœur. Puis, pour porter l'allégresse à son comble, il ordonna à cent jeunes gens de prendre un bain, car il voulait les armer tous chevaliers. Pas un qui ne reçoive un vêtement de couleur chatoyante en riche soie d'Alexandrie, chacun à son choix, à son gré et à sa fantaisie. Tous avaient des armes assorties, des chevaux courants et alertes : le pire valait bien cent livres.

Quand Erec prit femme, il convint de la nommer par son propre nom, car une femme ne peut être épousée si elle n'est pas nommée par son propre nom. Or on ne savait pas encore son nom, mais on l'apprit alors pour la première fois : elle avait reçu au baptistère le nom d'Enide. L'archevêque de Cantorbéry, qui était venu à la cour, la bénit, comme il le devait. Quand la cour fut assemblée, tous les ménestrels de la contrée, tous ceux qui savaient quelque chose de plaisant, se trouvèrent assemblés à la cour. Il y avait fort grand joie dans la salle. Chacun faisait montre de ce qu'il savait faire : celui-ci saute, celui-là fait des culbutes, cet autre des enchantements ; l'un siffle, l'autre chante ; l'un joue de la flûte, l'autre du chalumeau, l'un de la gigue, l'autre de la vielle ; les jeunes filles forment des rondes et dansent ; tous à l'envi se livrent à la joie. Rien de ce qui peut faire naître la joie et mettre en liesse un cœur d'homme ne fut négligé aux noces, ce jour-là. Timbres et tambours résonnent ; résonnent musettes, estives, frestelles, bousines et chalumeaux.

Que dirai-je du reste ? On n'avait fermé ni portes ni guichet : les entrées et les sorties furent laissées libres toute la journée, pauvres ni riches n'en furent écartés. Le roi Arthur n'était pas chiche. Il commanda aux panetiers, aux cuisiniers et aux bouteillers de distribuer en abondance, à chacun selon sa volonté, pain, vin et venaison. Nul ne demanda de quoi que ce fût sans en recevoir à discrétion.

Très grande fut la joie dans le palais, mais j'en laisse de côté le surplus : vous entendrez maintenant la joie et le plaisir qu'il y eut dans la chambre et dans le lit. Cette nuit-là, quand ils vinrent au moment de s'unir, les évêques et archevêques furent présents. Pour cette première nuit, Enide ne fut pas mise à l'écart et Brangien ne lui fut pas substituée. La reine s'était occupée elle-même de tout préparer pour le coucher, car elle les aimait beaucoup l'un et l'autre. Le cerf traqué qui halète de soif ne désire pas tant la fontaine, et l'épervier, quand il a faim, n'accourt pas si volontiers à l'appel qu'ils n'étaient heureux de voir approcher le moment où ils allaient reposer dans les bras l'un de l'autre. Cette nuit-là, ils ont bien rattrapé le temps qu'ils avaient perdu à attendre. Quand la chambre fut vide de tous les assistants, ils rendirent son dû à chaque membre. Les yeux se récréent à regarder, eux qui font naître la joie d'amour, et ils en envoient le message au cœur, tant leur plaît fort tout ce qu'ils voient. Après le message des yeux vient la douceur, qui vaut mieux encore, des baisers qui aspirent l'amour. Tous deux font l'épreuve de cette douceur et en rafraîchissent leurs cœurs au dedans, si bien qu'ils ont grand peine à séparer leurs lèvres. Le baiser fut le premier jeu. L'amour qui régnait entre eux rendit la pucelle plus hardie : elle ne s'effaroucha de rien, supporta tout, quoi qu'il lui en coutât. Avant de sortir du lit, elle avait perdu le nom de pucelle : au matin, il y avait une dame de plus.

Ce jour-là, les jongleurs furent en liesse, car tous furent payés à souhait ; tout ce qu'ils avaient pris à crédit fut remboursé et de très beaux présents leur furent offerts : vêtements de vair et d'herminette, de connin et de violette, d'écarlate grise ou de soie. L'un voulut un cheval, l'autre de la monnaie : chacun eut à son gré le meilleur don qu'il pouvait désirer. Ainsi les noces et la cour durèrent plus de quinze jours avec la même allégresse et la même magnificence ; par largesse princière, par liesse et pour mieux honorer Erec, le roi Arthur retint tous ses barons durant une quinzaine. Quand on en fut à la troisième semaine, tous ensemble, d'un commun accord, convinrent d'instituer un tournoi entre Evroïc et Tenebroc. Messire Gauvain s'avança [et s'y engagea pour l'un des camps]; Mélis et Méliadoc prirent même engagement pour l'autre camp. Ainsi fut lancé le défi ; la cour alors se sépara.

Un mois après la Pentecôte, le tournoi s'assembla et se livra sous Tenebroc, dans la plaine. Il y eut là mainte enseigne vermeille, mainte guimpe et mainte manche, des bleues et des blanches, qui avaient été données par amour. On y apporta des lances, beaucoup teintes d'azur et de sinople, beaucoup aussi d'or et d'argent, beaucoup d'autres couleurs, tantôt à bandes multicolores, tantôt tachetées. Là on vit lacer ce jour-là maint heaume de fer et d'acier, les uns verts, les autres jaunes, les autres vermeils, tous reluisant au soleil ; on y vit tant de blasons et de hauberts blancs, tant d'épées suspendues au flanc gauche, de bons écus tout frais neufs, de beaux écus d'azur et de sinople, d'autres d'argent à boucles d'or ; beaucoup de bons chevaux, baucents et alezans, fauves et blancs, noirs et bais : tous s'élancent au galop les uns contre les autres.

Le champ est tout couvert d'armures. De part et d'autre, toute la ligne des combattants s'anime ; le tumulte du combat s'élève; grand est le fracas des lances qui grincent. Les lances se brisent, les écus sont troués, les hauberts faussés et démaillés ; les chevaliers sont vidés de leur selle et tombent, les chevaux suent et écument. Tous tirent leurs épées au-dessus de ceux qui tombent à grand bruit ; les uns accourent pour les faire prisonniers sur parole, les autres pour les aider à reprendre le combat.

Erec était monté sur un cheval blanc ; il se porta tout seul en avant du rang pour jouter s'il trouvait un adversaire. De l'autre côté, l'Orgueilleux de la Lande éperonna à sa rencontre ; il montait un cheval d'Irlande qui le portait avec impétuosité. Erec le frappe sur l'écu, en pleine poitrine, avec une telle force qu'il l'abat de son destrier ; il laisse alors la lutte et va de l'avant. Randuraz, fils de la Vieille de Tergalo, marche contre lui ; il était vêtu d'un cendal bleu et c'était un chevalier de grande prouesse. Ils foncent droit l'un sur l'autre et échangent de très grands coups sur leurs écus qu'ils portent au cou. Erec, de toute la force de sa lance, le renverse sur la terre dure. En revenant, il rencontre le roi de la Rouge Cité qui était très vaillant et preux. Ils tenaient les rênes par les nœuds et les écus par les brides ; tous deux avaient de très belles armures, de bons chevaux rapides. Ils échangèrent des coups si violents sur leurs écus tout neufs qu'ils brisèrent tous deux leurs lances : jamais on ne vit asséner de tels coups. Leurs écus s'entrechoquent, leurs armures aussi et leurs chevaux. Ni sangles, ni rênes, ni poitrail ne peuvent retenir le roi : il lui faut rouler à terre, emportant les rênes et le mors ensemble dans sa main. Tous ceux qui virent cette joute en furent ébahis et émerveillés ; ils disaient qu'il en coûtait trop cher de se mesurer avec un si brave chevalier. Erec ne met pas son point d'honneur à prendre des chevaux ou des chevaliers, mais à faire belle figure dans la joute, afin de manifester sa prouesse. Autour de lui le combat reprend vigueur ; sa vaillance communique une nouvelle ardeur à ceux près de qui il se tient. S'il prend chevaux et chevaliers, c'est pour mieux déconfire ceux du parti adverse.

Je veux parler de monseigneur Gauvain, qui se conduisait bellement. Il abattit dans ce combat Guincel et prit Gaudin de la Montagne. Il fait prisonniers les chevaliers, il s'approprie les chevaux : messire Gauvain a fière conduite. Girflet, le fils de Do, Yvain et Sagremor le Desréé ont si bien traité ceux d'en face qu'ils les ont rejetés jusqu'aux portes : ils en prennent ou en culbutent un grand nombre. Devant la porte du château, ceux du dedans engagent à nouveau le combat contre ceux du dehors. Là fut abattu Sagremor, chevalier de très grand prix. Il était déjà capturé et prisonnier quand Erec courut à la rescousse. Il rompt sa lance sur l'un des leurs et le frappe si bien sur la poitrine que l'autre doit vider la selle. Alors il tire l'épée, les dépasse, leur défonce et brise les heaumes : ils prennent la fuite et lui laissent le passage, car le plus hardi le redoutait. Il leur porte tant de coups et de bottes qu'il leur a arraché Sagremor ; il les rejette bon train vers le château. Les vêpres sonnèrent à ce moment. Erec s'était si bien comporté ce jour-là qu'il fut jugé le meilleur du tournoi, mais il fit bien mieux encore le lendemain. Il prit tant de chevaliers de sa main, il en désarçonna tant que nul ne pouvait le croire, sauf ceux qui le virent de leurs yeux : dans l'un et l'autre camp, tous disaient qu'il avait remporté la victoire dans le tournoi avec sa lance et son écu. Tel était le renom d'Erec qu'on ne parlait que de lui. Nul homme n'avait si bonne grâce, car, de visage, il ressemblait à Absalon ; par le langage, il rappelait Salomon ; pour la fierté, c'était un lion; pour ce qui est de donner et de dépenser, un nouvel Alexandre.

En revenant de ce tournoi, Erec alla parler au roi et lui demanda son congé, car il voulait aller en son pays, mais d'abord, il le remercia beaucoup, en homme noble, sage et courtois, de l'honneur qu'il lui avait fait et dont il lui savait un gré infini. Ensuite, il prit congé de lui, car il voulait aller en son pays et y emmener sa femme. Le roi ne put le lui refuser, mais il eût préféré qu'il n'y allât point. Il lui donna son congé, mais le pria de revenir le plus tôt qu'il pourrait, car il n'y avait pas en sa cour de baron plus vaillant, plus hardi, plus preux, si ce n'est Gauvain, son très cher neveu. A celui-là, nul ne pouvait s'égaler, mais, après lui, c'était Erec que le roi estimait davantage et il le tenait plus cher qu'aucun autre chevalier.

Erec ne veut plus s'attarder, il ordonne à sa femme de se préparer, dès qu'il a reçu le congé du roi. Il prend pour son escorte soixante chevaliers de valeur avec des chevaux, des fourrures de vair et de gris. Dès que son équipage est prêt, il ne reste plus guère à la cour. Il demande congé à la reine et recommande à Dieu les chevaliers. La reine lui donne congé. A l'heure où l'on sonne prime, il s'en va du palais royal. A la vue de tous, il monte sur son cheval ; après lui, monte sa femme, qu'il avait amenée de son pays, puis toute sa mesnie : ils étaient bien sept fois vingt dans cette troupe, tant sergents que chevaliers.

Ils passèrent tant de cols et de rochers, de forêts, de plaines et de montagnes, durant quatre journées entières, qu'ils parvinrent un jour à Carnant, où le roi Lac résidait, dans un château très plaisant : nul n'en vit jamais de mieux situé. Tout rendait ce séjour délicieux : forêts et prairies, vignes et cultures, rivières et vergers, dames et chevaliers, jeunes gens vaillants et de bonne mine, clercs nobles et bien appris qui dépensaient bien leurs rentes, dames belles et de grande famille, bourgeois opulents.

Avant d'arriver au château, Erec envoya deux messagers pour annoncer au roi sa venue. Dès qu'il eut appris la nouvelle, le roi fit monter à cheval les clercs, les chevaliers et les pucelles ; il ordonna de sonner du cor, d'encourtiner les rues de tapis et de draps de soie. Puis il monta lui-même à cheval. Il y avait bien là quatre-vingt clercs de noble race, de grande réputation, avec des manteaux gris bordés de zibeline; les chevaliers étaient bien cinq cents, sur des chevaux bais, alezans et baucents; quant aux dames et aux bourgeois, tel était leur nombre que nul n'aurait su les compter. Ils galopent et courent tant qu'ils s'aperçoivent et se reconnaissent, le roi son fils et son fils lui. Tous deux descendent de cheval, se tiennent embrassés et se saluent ; pendant longtemps, ils ne bougent pas de l'endroit où ils se sont rencontrés. On se salue de part et d'autre. Le roi est tout heureux de voir Erec. Enfin, il le laisse un instant et se tourne vers Enide : de l'un comme de l'autre, il est ravi. Il les embrasse et baise tous les deux et ne sait lequel des deux le charme davantage.

Ils arrivent maintenant dans l'enceinte de la ville. Pour la venue d'Erec, toutes les cloches sonnent à la volée. Les rues sont toutes jonchées de jonc, de menthe, de glaïeuls ; en haut sont tendues des courtines et des tapis de diapre et de samit. La liesse était grande en ce lieu : tout le peuple était assemblé pour voir son nouveau seigneur, jamais on ne vit jeunes et vieux se réjouir à ce point. Les époux se rendirent d'abord à l'église ; ils y furent reçus dévotement, en procession. Erec se mit en oraison devant l'autel du crucifix : il y présenta soixante marcs d'argent, qu'il ne pouvait mieux employer, et une croix, toute d'or fin, qui avait appartenu autrefois au roi Constantin. Elle contenait une parcelle de la vraie croix sur laquelle le Seigneur Dieu a voulu pour nous être crucifié et supplicié : il nous a ainsi délivrés de la prison où nous étions tous tenus par le péché que commit jadis Adam, sur le conseil du diable. Cette croix était d'une valeur considérable : elle était ornée de pierres précieuses de merveilleuse vertu. Au milieu et à chaque extrémité, des escarboucles d'or étaient admirablement enchâssées. Jamais on n'en vit de pareilles : chacune répandait autant de clarté pendant la nuit que s'il avait fait jour, le matin, quand le soleil luit ; chacune répandait, la nuit, une telle clarté qu'il n'était besoin d'allumer dans l'église, ni lampe, ni cierge, ni chandelier.

Deux barons conduisent la femme d'Erec devant l'autel de Notre-Dame. Elle prie, par bonne dévotion, Jésus et la Vierge Marie, de leur donner durant leur vie un héritier qui puisse recueillir, après eux, leur patrimoine. Puis elle offre sur l'autel un paile vert, tel que nul n'en avait vu, et une grande chasuble ornée : elle était toute brodée d'or fin et c'était vérité prouvée que la fée Morgue l'avait faite au Val Périlleux, où elle résidait ; elle y avait mis tout son art. Elle était d'or et de soie d'Aumarie. La fée ne l'avait pas œuvrée pour servir de chasuble à chanter la messe, mais elle voulait la donner à son ami pour en faire un riche vêtement, car elle était d'une merveilleuse élégance. Guenièvre, femme d'Artur, le roi puissant, par une ruse très grande, l'obtint par l'entremise de l'empereur Gassa ; elle en fit une chasuble et la conserva longtemps dans sa chapelle, parce qu'elle était bonne et belle. Quand Enide s'éloigna d'elle, elle lui donna cette chasuble; à dire le vrai, elle valait plus de cent marcs d'argent.

Quand Enide eut fait son offrande, elle se retira un peu en arrière ; de sa main droite, elle se signa comme une dame bien enseignée. Alors, ils sortirent de l'église et revinrent droit à leur résidence : là commença la grande joie. Ce jour-là, Erec reçut maint présent des chevaliers et des bourgeois : de l'un un palefroi norrois, de l'autre une coupe d'or ; celui-ci lui présente un jeune autour, celui-là un brachet, qui un lévrier, qui un épervier, qui un destrier d'Espagne, qui un écu, qui une enseigne, qui une épée, qui un heaume. Jamais roi ne causa, par sa seule vue, tant de joie en son royaume ni ne fut reçu avec plus d'allégresse. Tous se mirent en peine pour le servir ; mais ils manifestèrent encore plus de joie pour Enide que pour lui-même, en raison de la grande beauté qu'ils voyaient en elle et, plus encore, à cause de sa générosité.

Elle était assise dans une chambre sur un coussin de soie qui avait été apporté de Thessalie. Il y avait mainte dame autour d'elle, mais comme la gemme lumineuse surpasse en clarté le caillou bis et comme la rose l'emporte sur le pavot, ainsi Enide était plus belle que n'importe quelle dame ou jeune fille qu'on eût pu trouver dans le monde entier, même en cherchant partout à la ronde, tant elle était noble et digne d'être honorée, sage et gracieuse en ses paroles, pleine de bonté d'âme et de charme. On se serait lassé de l'épier avant d'avoir surpris en elle folie, méchanceté ou vilenie. Elle avait si bien appris les bonnes manières qu'elle excellait en toutes qualités qui conviennent aux dames, en largesse comme en sagesse. Tous l'aimaient pour sa générosité ; quiconque pouvait lui faire service s'en estimait grandement honoré. Nul ne médisait d'elle, car nul n'avait matière à en médire : dans le royaume et dans l'empire, il n'y avait dame d'aussi bonnes mœurs.

Mais Erec l'aimait tant d'amour qu'il ne se souciait plus des armes et n'allait plus au tournoi. Il n'avait cure désormais de tournoyer : il voulait jouer avec sa femme, dont il fit son amie et son amante. Il avait mis toute son entente à l'embrasser et à la baiser ; ils ne cherchaient pas d'autre agrément. Ses compagnons en avaient de la peine ; souvent, ils se lamentaient entre eux de ce qu'il l'aimait trop. Il était souvent midi passé qu'il ne s'était pas encore levé d'auprès d'elle. S'en afflige qui voudra, cette vie lui plaisait. Il ne quittait sa femme que fort rarement, mais il n'en faisait pas moins de dons à ses chevaliers, en fait d'armes, de vêtements et de deniers. Il n'y avait nulle part de tournoi qu'il ne les y envoyât, très richement habillés et équipés. Il leur donnait des destriers bien dispos pour tournoyer et pour jouter, sans considérer la dépense. Tous les barons disaient que c'était grand deuil et grand dommage qu'un baron tel qu'il avait été ne voulût plus porter les armes.

Il fut tant blâmé de toutes sortes de gens, de chevaliers et de sergents qu'Enide les entendit tenir ce propos que son seigneur devenait « recréant » d'armes et de chevalerie et qu'il avait bien changé son genre de vie. La chose lui fut pénible, mais elle n'osa le laisser paraître, de peur que, si elle le lui disait, son mari ne le prît dès l'abord en mauvaise part. Elle ne lui en avait encore rien dit quand il advint, une matinée, qu'ils étaient couchés en un lit où ils avaient eu beaucoup de plaisir : ils étaient étendus bouche à bouche, dans les bras l'un de l'autre, comme il sied à ceux qui s'aiment mutuellement d'un grand amour. Il dormait et elle était éveillée ; elle se souvint des propos que beaucoup de gens par le pays tenaient sur le compte de son seigneur. A ce souvenir, elle ne put se retenir de pleurer : elle en éprouva tant de chagrin et de douleur qu'il lui arriva, par malchance, de prononcer une parole qu'elle tint, par la suite, pour une folie ; et pourtant, elle ne pensait pas à mal. Elle commença à regarder son seigneur des pieds à la tête, son beau corps et son clair visage, et là-dessus elle pleura si fort que, tandis qu'elle pleurait, ses larmes tombaient sur la poitrine de son mari.

« Malheureuse, fait-elle, que j'ai eu de malchance ! Loin de mon pays, que suis-je venue chercher ici ? La terre devrait bien m'engloutir quand le meilleur de tous les chevaliers, plus hardi et plus fier que ne fut jamais comte ni roi, le plus loyal, le plus courtois, a pour moi complètement délaissé toute chevalerie ! Le voilà donc honni par ma faute, en vérité ; pour tout l'or du monde, je n'aurais voulu le faire ! ». C'est alors qu'elle lui dit : « Ami, combien tu fus malchanceux ! » Sur ce, elle se tut et n'en dit pas davantage. Mais lui ne dormait pas profondément : il entendit sa voix à travers son sommeil, et cette parole l'éveilla. Il ne fut pas médiocrement étonné de la voir pleurer si fort. Alors il lui demanda : « Dites-moi, douce amie chère, qu'avez-vous à pleurer de la sorte ? Qu'est-ce qui cause votre peine et votre chagrin ? Certes, je le saurai, je le veux. Dites-le moi, ma douce amie, gardez-vous bien de me le cacher. Pourquoi avez-vous dit que je fus bien malchanceux ? C'est de moi que cela fut dit, et non d'un autre : j'ai bien entendu la parole. »

Enide, à ces mots, se trouva tout éperdue ; elle avait grand peur et grand émoi. « Sire, fait-elle, je ne sais rien de tout ce que vous me dites. — Dame, pourquoi chercher à nier ? Il ne vous sert à rien de dissimuler. Vous avez pleuré, je le vois bien, et si vous pleurez, ce n'est pas pour néant. De plus, j'ai entendu la parole que vous avez dite en pleurant. — Ah ! beau sire, vous ne l'avez jamais entendue : je crois bien que c'était un rêve. — Voici que vous me servez de vos mensonges. Je vois clairement que vous mentez, mais vous vous repentirez trop tard si vous ne reconnaissez pas que je dis vrai. — Sire, puisque vous me pressez tant, je vous en dirai la vérité et ne vous la cacherai plus, mais je crains qu'elle ne vous irrite. Par cette terre, tous disent, les blonds, les bruns et les roux, que c'est grand dommage pour vous que vous délaissiez vos armes. Votre renom en est abaissé. Tous avaient coutume de dire, l'an dernier, qu'on ne connaissait dans tout le monde meilleur chevalier ni plus preux : vous n'aviez votre pareil en aucun lieu. Maintenant, tous vous tournent en dérision, les jeunes et les chenus, les petits et les grands ; tous vous appellent « recréant ». Croyez-vous qu'il ne me soit pas pénible de vous entendre mépriser ? Tout ce que l'on en dit me peine fort ; et ce qui m'afflige encore davantage, c'est que l'on en rejette sur moi le blâme. On me blâme, j'en suis chagrine, et tous disent pour quel motif : je vous ai si bien pris au piège et enjôlé que vous en perdez votre valeur et ne voulez plus vous occuper de rien d'autre. Maintenant, il convient que vous fassiez réflexion, afin de faire cesser ce blâme et de recouvrer votre gloire première, car je vous ai trop de fois entendu blâmer. Je n'ai jamais osé vous le révéler. A maintes reprises, quand il m'en souvient, j'en suis réduite à pleurer d'angoisse. Tout à l'heure, mon angoisse a été si forte que je n'ai pas su me retenir ; aussi ai-je dit que vous avez été, en cette rencontre, bien malchanceux. — Dame, fait-il, vous en aviez le droit, et ceux qui m'en blâment en ont le droit. Préparez-vous, dès cet instant, apprêtez-vous pour une chevauchée. Sortez de ce lit, revêtez la plus belle de vos robes et faites mettre votre selle sur votre meilleur palefroi. »

Enide est alors en grand effroi. Elle se lève toute triste et pensive ; elle n'accuse qu'elle seule et se reproche la folie qu'elle a dite : tant se gratte la chèvre qu'elle en est mal en point. « Ah ! fait-elle, folle, mauvaise, j'étais jusqu'à présent tellement à mon aise que je n'avais rien à désirer. Ah ! malchanceuse ! Pourquoi ai-je eu l'audace de dire une parole aussi insensée ? Mon Dieu ! Est-ce que mon mari ne m'aimait pas trop ? Ma foi, malheureuse, il m'aimait trop ! Et maintenant, il me faut aller en exil. Mais ce qui me fait le plus de peine, c'est que je ne verrai plus mon seigneur qui m'aimait tant, et plus que tout au monde. Le meilleur homme qui soit jamais né s'était tellement épris de moi qu'il ne se souciait de rien d'autre. Rien ne me manquait, j'étais au comble du bonheur ; mais l'orgueil m'a rendue trop présomptueuse quand je lui ai adressé un propos aussi offensant. Je serai punie dans mon orgueil et il est bien juste que je le sois : celui-là ignore ce qu'est le bien qui ne fait pas l'expérience du mal. »

Tandis qu'elle se lamentait, la dame s'était bel et bien habillée de sa robe la meilleure, mais rien désormais ne lui causait de plaisir ; tout lui était devenu odieux. Puis elle fait appeler par une pucelle un sien écuyer et lui demande de seller son précieux palefroi de Norvège: jamais comte ni roi n'en eut de meilleur. Dès qu'elle en eut donné l'ordre, l'écuyer l'exécuta sans délai et sella le palefroi vair. Erec de son côté appelle un autre écuyer et lui commande d'apporter ses armes afin de l'en revêtir. Puis il monte dans une galerie haute et fait étendre devant lui sur le sol un tapis de Limoges. L'écuyer auquel il l'a commandé court prendre les armes et les apporte sur le tapis. Erec s'assied de l'autre côté, sur l'image d'un léopard qui était figuré sur le tapis. Il se prépare et se dispose à revêtir ses armes. Il se fait d'abord lacer des chausses d'acier. Puis il passe un haubert de si grand prix qu'on n'aurait pu en trancher une seule maille. Le haubert était si riche qu'à l'endroit comme à l'envers on n'y aurait pas trouvé de fer ce qu'il en faut pour une aiguille : jamais il n'aurait pu rouiller, car il n'était fait que d'argent, en treillis de petites mailles. Il était œuvré si finement, je puis vous l'assurer, que quiconque l'eût revêtu n'aurait été plus fatigué ni plus chargé que s'il avait, sur sa chemise, passé une cotte de soie.

Les sergents et les chevaliers se prennent tous à s'étonner de voir leur seigneur se faire ainsi armer, mais ils n'osent demander pourquoi. Quand ils lui ont endossé le haubert, un valet lui lace sur la tête un heaume à cercle d'or gemmé qui reluisait plus clair que glace. Puis il prend son épée et la ceint. Alors, il ordonne qu'on lui amène son bai de Gascogne tout sellé et il appelle un valet : « Valet, fait-il, va vite et cours dans la chambre près de la tour, celle où est ma femme ; va et dis-lui qu'elle me fait trop attendre ici, qu'elle a mis trop de temps à s'habiller. Dis-lui qu'elle vienne vite monter à cheval, que je l'attends. » Le valet y va, il la trouve toute prête, pleurant et menant grand deuil, et il lui dit sans autre préambule : « Dame, pourquoi tardez-vous tant ? Messire vous attend là-dehors, armé de toutes pièces, il y a longtemps qu'il serait monté si vous aviez été prête. »

Enide se demande avec stupeur quelles peuvent bien être les intentions de son mari, mais elle agit sagement en faisant, quand elle vient devant lui, la contenance la plus joyeuse qu'elle peut. Elle vient devant lui au milieu de la cour ; le roi Lac y court après elle. Les chevaliers courent à qui mieux mieux ; il ne reste ni jeune ni chauve qui n'aille s'enquérir et demander s'il veut emmener quelqu'un d'entre eux. Chacun offre ses services et se présente, mais il leur jure et certifie qu'il n'emmènera pas d'autre compagnon que sa femme seule. Il déclare qu'il s'en ira seul ; le roi en est très anxieux : « Beau fils, fait-il, que veux-tu faire ? A moi tu dois dire ton projet et ne me rien dissimuler. Dis-moi, de quel côté veux-tu donc aller pour que, malgré tout ce que je puis te dire, tu ne veuilles avoir en ta compagnie, ni écuyers, ni chevaliers ? Si tu as entrepris un combat seul à seul avec un chevalier, tu ne dois pas laisser pour autant d'emmener avec toi une partie de tes chevaliers, pour l'agrément et pour la compagnie : fils de roi ne doit pas aller seul. Beau fils, fais charger tes chevaux de somme et emmène trente ou quarante de tes chevaliers, ou plus encore ; fais aussi emporter de l'or et de l'argent et tout ce qui convient à un prud' homme. »

Erec lui répond finalement et lui raconte tout ; il lui explique comment il a entrepris ce voyage : « Sire, fait-il, il ne peut en être autrement. Je n'emmènerai pas de cheval en dextre. Je n'ai que faire d'argent et je ne demande d'autre compagnie que celle de ma femme seule. Mais je vous prie, quoi qu'il advienne, si je meurs et qu'elle revienne, de l'aimer et de la tenir chère, pour mon amour et pour exaucer ma prière, et de lui octroyer, sa vie durant, en toute propriété, sans bataille et sans guerre, la moitié de votre terre. » Le roi entend la prière de son fils et lui dit : « Beau fils, je la lui octroie. Mais de te voir partir sans compagnie, j'ai très grand chagrin ; tu ne le ferais pas si cela dépendait de ma volonté. — Sire, il ne peut en être autrement. Je m'en vais et vous recommande à Dieu. Mais pensez à mes compagnons : donnez-leur des chevaux et des armes et tout ce qu'il faut à des chevaliers. » Le roi ne peut se retenir de pleurer quand il se sépare de son fils : ses gens pleurent aussi de leur côté. Dames et chevaliers pleurent et, pour lui, mènent grand deuil : pas un qui ne manifeste sa douleur et plusieurs en tombent pâmés sur la place. En pleurant, ils l'embrassent et lui donnent l'accolade : peu s'en faut que la douleur ne les fasse déraisonner. Je ne crois pas qu'ils eussent montré plus d'affliction s'ils l'avaient vu blessé à mort. Il leur dit pour les réconforter : « Seigneurs, pourquoi pleurez-vous si fort ? Je ne suis ni captif ni estropié : vous ne gagnerez rien à vous lamenter. Si je m'en vais, je reviendrai quand il plaira à Dieu et que je le pourrai. Tous et toutes, je vous recommande à Dieu : donnez-moi donc congé car vous me faites trop attendre et, de vous voir pleurer, cela me fait grand mal et grand dépit. » Il les recommande à Dieu et ils en font de même ; les voici séparés avec bien de la peine.

Erec s'en va, il emmène sa femme, il ne sait où, mais à l'aventure. « Allez, fait-il, à vive allure et, prenez-y garde, ne soyez pas assez osée, si vous voyez qui que ce soit, pour me dire ceci ou cela. Gardez-vous bien de me parler si je ne vous adresse pas, le premier, la parole. Allez à vive allure devant moi et chevauchez tranquillement. — Sire, fait-elle, à la bonne heure ! » Elle s'est placée devant et garde le silence. Ils ne se disent mot. Mais Enide était bien affligée : elle ne cessait de se lamenter à part soi, tout doucement, à voix basse, de peur qu'il ne l'entendît. « Ah ! malheureuse, fait-elle, Dieu m'avait appelée et élevée à une grande joie : voici qu'il m'a, en peu de temps, abaissée. Fortune qui m'avait tirée à elle a eu vite fait de retirer sa main. Peu m'importerait, malheureuse, si j'osais parler à mon seigneur ! Mais je suis morte et abandonnée quand je me vois haïe de mon seigneur. Il m'a prise en haine, je le vois bien, puisqu'il ne veut plus me parler ; et je ne suis pas assez hardie pour lever vers lui mes regards. »

Tandis qu'elle se lamentait ainsi, sortit du bois un chevalier qui vivait de brigandage ; il avait avec lui deux compagnons et tous trois étaient armés. Il convoita fort le palefroi que chevauchait Enide. « Savez-vous, seigneurs, ce qui vous attend ? », fait-il à ses deux compagnons. « Si nous ne gagnons rien cette fois-ci, nous sommes honnis, recréants et étrangement malchanceux. Voici venir une dame très belle ; je ne sais si elle est dame ou pucelle, mais elle est très richement vêtue. Le palefroi, la sambue, le poitrail et le lorain valent pour le moins vingt marcs d'argent. Je veux avoir le palefroi, vous aurez le reste du butin : je n'en demande pas plus pour ma part. Le chevalier n'emmènera rien de la dame, aussi vrai que Dieu me sauve ! Je pense lui livrer tel assaut — je vous le dis en toute assurance — qu'il lui coûtera très cher. Aussi est-il juste que j'aille engager le combat. » Ils le lui accordent et lui s'élance en ligne droite, le corps ramassé sous l'écu ; les autres demeurent à l'écart. La coutume et l'usage étaient alors que deux chevaliers ne devaient pas, dans une attaque, s'en prendre à un seul ; s'ils l'avaient attaqué ensemble, cela eût semblé une trahison.

Enide vit les brigands et fut saisie d'une très grande peur. « Dieu ! fait-elle, que pourrai-je dire ? Mon seigneur va être mis à mort ou fait prisonnier, car ils sont trois et lui tout seul. La partie n'est pas égale si un chevalier lutte contre trois. Celui-ci va le frapper à l'instant sans que mon seigneur y ait pris garde. Dieu ! serai-je assez couarde pour ne pas oser le lui dire ? Non, je ne serai pas si couarde : je le lui dirai, je n'y manquerai pas. » Elle se tourne vers lui sur le champ et dit : « Beau sire, à quoi pensez-vous ? Voici que s'élancent sur vous trois chevaliers qui vous donnent rude chasse : j'ai peur qu'ils ne vous mettent à mal. — Quoi, fait Erec, qu'avez-vous dit ? Vous m'estimez vraiment trop peu. Vous avez trop loin poussé l'audace quand vous avez passé outre à mes instructions et à ma défense. Pour cette fois, on vous pardonnera ; mais, si cela vous arrivait une autre fois, vous ne seriez plus pardonnée. »

Il tourne alors son écu et sa lance et se porte au-devant du chevalier : celui-ci le voit venir et l'interpelle. Quand Erec l'entend, il le défie. Tous deux piquent des éperons et se heurtent en tenant les lances à bout de bras. Mais le brigand a manqué Erec tandis qu'Erec le met en mauvaise posture, car il a su lui porter un coup droit. Il le frappe sur l'écu avec une telle vigueur qu'il le lui fend de haut en bas, Le haubert du brigand ne le protège pas : Erec le brise et le perce en plein sur la poitrine et lui enfonce de sa lance un pied et demi dans le corps. En la retirant, il fait pivoter son arme, si bien que l'autre tombe : il ne peut échapper à la mort, car la pointe a plongé jusqu'au cœur.

L'un des deux autres s'élance, laissant son compagnon en arrière ; il pique vers Erec et le menace. Erec passe à son bras l'écu qui pendait à son cou et il attaque hardiment : l'autre se protège la poitrine de son écu. Ils se frappent sur les blasons. La lance du chevalier adverse vole en tronçons. Erec lui fait passer le quart de la sienne au travers du corps. Celui-ci ne lui donnera plus de mal aujourd'hui : il le renverse évanoui de son destrier, puis pique vers l'autre obliquement.

Quand ce dernier le voit venir vers lui, il se met à fuir : il a peur et n'ose pas l'attendre ; il court chercher refuge dans la forêt. Mais rien ne lui sert de fuir. Erec le suit de près et crie à voix forte : « Vassal, vassal, tournez-vous par ici et préparez-vous à vous défendre, ou je vous frapperai tandis que vous fuyez : votre fuite ne vous sert de rien. » Mais l'autre n'a cure de se retourner et s'en va, fuyant à vive allure. Erec le poursuit et l'atteint, il le frappe en plein sur l'écu peint et le fait tomber du côté opposé. De ces trois hommes, il n'a plus rien à craindre : il a tué l'un, blessé le second et s'est si bien débarrassé du troisième qu'il l'a mis à pied, à bas de son cheval. Il prend leurs trois chevaux et les attache ensemble par les brides. Ils sont tous différents de pelage : le premier est blanc comme lait, le second noir, mais pas laid ; le troisième était tout vair. Erec a regagné le chemin où Enide l'attendait. Il lui ordonne de mener et de pousser devant elle les trois chevaux et il se met à lui faire des menaces : qu'elle ne soit pas si hardie que d'oser de sa bouche, lui dire un seul mot s'il ne lui en donne la permission. Elle répond : « Je ne le ferai jamais, beau sire, puisqu'il vous plaît. » Ils s'en vont alors, et elle se tait.

Ils n'avaient pas fait une lieue qu'ils virent devant eux, dans une vallée, cinq autres chevaliers qui venaient vers eux, lance sur feutre, tenant au bras leurs écus pendus au cou, leurs heaumes brunis tout lacés : ils allaient, cherchant pillage. Dès qu'ils aperçurent la dame qui menait les trois chevaux et Erec qui suivait, sans plus attendre, ils se partagèrent en paroles tout l'équipage, comme s'il était déjà en leur pouvoir. La convoitise est une mauvaise chose ; mais ils ne trouvèrent pas à leur goût qu'on fît contre eux bonne défense. Ils s'en faut que l'on obtienne tout ce que l'on se promet ; tel croit prendre qui n'arrive à rien. Ainsi leur advint-il lors de cette attaque. L'un dit qu'il aurait pour lui la dame ou qu'il en mourrait. L'autre dit que le destrier vair lui reviendrait et qu'il ne demandait pas davantage de tout le butin. Le troisième dit qu'il aurait le cheval noir. « Et moi le blanc ! », dit le quatrième. Le cinquième n'était pas poltron, car il dit qu'il aurait le destrier et les armes du chevalier : il les voulait conquérir en combat singulier et offrait d'aller le premier à l'attaque s'ils lui donnaient leur accord ; les autres y consentirent volontiers.

Alors il s'éloigne d'eux et se porte en avant, sur un bon cheval rapide. Erec le voit et fait semblant, cette fois encore, de n'y point prendre garde. Quand Enide s'en aperçoit, tout son sang reflue dans ses veines, tant elle éprouve de crainte et de trouble. « Malheureuse, fait-elle, que ferai-je, car mon seigneur me menace fort et dit que, si je lui parle de quoi que ce soit, il me le fera amèrement regretter. Mais si mon seigneur trouvait ici la mort, rien ne pourrait plus me consoler : je serais morte et éperdue. Dieu ! mon seigneur ne le voit pas : qu'attends-je donc, mauvaise folle ? J'ai déjà fait trop honneur à ma parole en ne lui disant rien depuis un bon moment. Je sais bien que ceux qui viennent là sont décidés à le mettre à mal. Hélas, mon Dieu ! comment le lui dirai-je ? Il me tuera. Qu'il me tue tant qu'il voudra ! Je ne laisserai pas de le lui dire. »

Elle l'appelle alors doucement : « Sire ! — Quoi ? fait-il, que voulez-vous dire ? — Sire, pardon ! je veux vous dire que cinq chevaliers ont débouché de ce bois, ce dont j'ai grand émoi. Je crois bien et j'ai constaté qu'ils veulent s'attaquer à vous. Quatre d'entre eux sont demeurés en arrière et le cinquième s'approche de vous de toute la vitesse de son cheval : il va vous frapper d'un instant à l'autre. Et les quatre qui sont restés en arrière ne sont guère loin: en cas de besoin, ils viendront tous à son secours. » Erec répond : « Malheur à vous d'avoir transgressé la défense que je vous avais faite ! Et pourtant je savais très bien que vous ne m'estimiez guère. Votre zèle est ici bien mal employé ; je ne vous en sais aucun gré. Sachez bien que j'en suis courroucé contre vous, je vous l'ai dit et le redis. Je vous pardonnerai encore pour cette fois. Mais prenez bien garde à l'avenir et ne tournez plus les yeux vers moi, car vous feriez grande folie ; la parole que vous m'avez dite ne me plait nullement. »

A ces mots, Erec pique contre son adversaire et ils se heurtent l'un à l'autre : chacun d'eux attaque l'autre et le provoque. Erec le frappe si violemment qu'il lui arrache du cou son écu et qu'il lui brise la clavicule. Les étriers sont rompus, le chevalier tombe : il n'y a pas à craindre qu'il s'en relève, car il est meurtri et blessé sur tout le corps.

L'un des autres se lance sur Erec et ils s'entrechoquent de tout leur élan. Erec lui enfonce d'un seul coup dans la gorge, sous le menton, son fer tranchant qui vient d'une bonne forge : il lui tranche tous les os et les nerfs, si bien que le fer ressort de l'autre côté. Le sang vermeil coule tout chaud, de part et d'autre, du milieu de la plaie : l'âme s'en va, le cœur s'arrête.

Le troisième bondit de son embuscade, qui était de l'autre côté d'un gué ; il s'en vient tout droit à travers le gué. Erec pique et le rencontre avant qu'il ne soit tout à fait sorti du gué. Il le frappe si bien qu'il l'étend de tout son long ainsi que son destrier. Le destrier lui tombe sur le corps, si bien qu'il lui faut mourir dans l'eau ; quant au cheval, il fait tant d'efforts qu'il se remet sur pattes, non sans peine.

Ainsi il en a mis trois à la raison : les deux autres ont pris le parti de lui céder le terrain et de ne pas lui livrer combat. Ils s'en vont, fuyant par la vallée. Erec les poursuit par derrière, il en frappe un derrière l'échine, si bien qu'il le couche en avant sur l'arçon. Comme il y a mis toute sa force, il lui brise sa lance sur le dos et le fait tomber, le cou en avant. Erec lui fait payer chèrement sa lance qu'il lui a brisée sur le dos ; il a tôt fait d'extraire son épée du fourreau. L'autre se redressa et il fait là une folie. Erec lui donne trois coups si bien assénés qu'il abreuve son épée du sang de l'adversaire ; il lui sépare le buste du corps et le fait tomber sur le sol.

Erec attaque à l'épée le cinquième qui s'enfuit au plus vite, sans compagnie et sans escorte. Il n'ose attendre et ne peut gauchir : il lui faut abandonner son cheval, car il n'a plus aucun espoir. Il jette à bas son écu et sa lance, puis se laisse tomber à terre. Erec renonce à l'attaquer dès lors qu'il s'est laissé choir sur le sol, mais il se baisse pour ramasser sa lance : il n'a pas manqué de la prendre pour remplacer la sienne qu'il avait brisée. Il emporte la lance et s'en va. Il ne laisse pas les chevaux, mais les prend tous les cinq et les emmène. Enide a bien du mal à les conduire ; il lui confie les cinq chevaux en plus des trois précédents et lui commande de se mettre aussitôt en route : qu'elle se retienne de lui parler, de peur qu'il n'en résulte pour elle malheur ou contrariété ! Elle ne lui répond mot, elle se tait. Et ils s'en vont, emmenant les huit chevaux ensemble.

Ils ont chevauché jusqu'à la nuit sans voir village ni abri. Quand la nuit tombe, ils s'installent sous un arbre, en une lande. Erec commande à la dame de dormir et il veillera. Elle lui répond qu'elle n'en fera rien, car ce n'est pas justice et elle ne veut pas le faire : il dormira, lui, qui est le plus fatigué. Erec y consent et cela lui est agréable. Il met son écu sous sa tête ; la dame prend son manteau et l'étend sur lui de tout son long.

Il dormait et elle veillait ; elle ne ferma pas l'œil cette nuit-là, mais tint en sa main tous les chevaux, la nuit entière, jusqu'au lendemain. Elle s'est fort blâmée et maudite pour la parole qu'elle avait prononcée. Elle a, dit-elle, bien mal agi. « Certes, je n'ai pas la moitié du malheur que j'ai mérité. Malheureuse, fait-elle, en quel triste état me vois-je par mon orgueil et mon outrecuidance ! Je pouvais savoir de science certaine qu'il n'y avait au monde tel chevalier ni meilleur que mon seigneur. Je le savais bien. Je le sais mieux encore maintenant, pour avoir constaté de mes yeux qu'il ne redoute ni trois ni cinq hommes armés. Honnie soit donc ma langue pour avoir proféré l'orgueilleux outrage qui m'a réduite à la honte que je subis ! » Ainsi s'est-elle lamentée durant la nuit jusqu'au lendemain à l'aube.

Erec se leva de bon matin et se remit en route, elle devant et lui derrière. Vers l'heure de midi, ils rencontrèrent en un vallon un écuyer, accompagné de deux valets qui portaient du pain, du vin et cinq fromages gras. L'écuyer était un esprit avisé : quand il vit Erec et son amie qui venaient du côté de la forêt, il comprit fort bien qu'ils avaient passé la nuit dans la forêt ; ils n'avaient ni mangé ni bu, car il n'y avait, à une journée de marche tout alentour, ni château, ni village, ni tour, ni maison-fort, ni abbaye, ni hôpital, ni auberge. Puis il lui vint une pensée de grande générosité : « Sire, je crois et pense que vous avez été fort mal à l'aise cette nuit, que cette dame a longtemps veillé et passé la nuit en cette forêt. Je vous fais don de ce blanc gâteau, s'il vous plaît de manger un peu. Je ne le dis pas pour gagner vos bonne grâces : le gâteau est de bon froment, mais je ne vous demande rien. J'ai bon vin et fromages gras, blanche serviette et beaux hanaps : s'il vous plaît de déjeûner, vous n'avez pas à chercher ailleurs. A l'ombre, sous ces charmes, vous pourrez quitter vos armes et vous reposer un peu. Descendez de cheval, je vous y invite. » Erec met pied à terre et lui répond : « Beau doux ami, je vais manger ici, grâce à vous : je n'ai pas besoin d'aller plus loin. » Le sergent était de bon service : il fait descendre la dame de son cheval et tenir les chevaux par les valets qui étaient venus avec lui. Puis ils vont s'asseoir à l'ombre. L'écuyer débarrasse Erec de son heaume, lui délace la ventaille devant le visage. Il étend devant eux la nappe sur l'herbe drue ; il leur donne le gâteau et le vin, leur prépare et coupe un fromage. Eux mangent de grand appétit et boivent volontiers du vin. L'écuyer qui leur fait le service ne perd pas sa peine. Quand ils ont mangé et bu, Erec se montre large et courtois : « Ami, dit-il, en récompense, je vous fais don de l'un de mes chevaux : prenez celui qui vous convient le mieux. Et je vous prie de ne pas vous en offenser : rebroussez chemin jusqu'au bourg pour m'y préparer un riche logement. » L'écuyer répond qu'il fera volontiers tout ce qui plaira au chevalier ; puis il s'approche des chevaux, les délie, prend pour lui le noir et remercie, car il lui semble être le meilleur. Il monte dessus par l'étrier de gauche et les laisse là tous les deux : il se rend au galop jusqu'au bourg, leur prend un logis bien installé et le voici bientôt revenu. « Vite, sire, dit-il, montez à cheval, car vous avez un hôtel bel et bon. » Erec monte, la dame après lui. Le bourg était assez proche : ils furent bientôt arrivés au logis. On les y reçut avec plaisir : l'hôte leur fit très bel accueil et, de tout ce qui leur était nécessaire, il leur fit servir en quantité, joyeusement et de bonne grâce.

L'écuyer, après leur avoir fait toutes les amitiés qu'il pouvait, revint à son cheval et se mit en selle. Il passait, pour le mener à l'écurie. devant les galeries du château du comte : le comte et trois autres vassaux étaient venus s'y accouder. Quand le comte vit son écuyer qui montait le destrier noir, il lui demanda à qui il était ; l'autre répondit qu'il était à lui. Le comte en fut tout étonné : « Comment ? fait-il, où l'as-tu pris ? — Sire, il m'a été donné par un chevalier dont je fais grand cas. Je l'ai amené en ce bourg ; il y a pris son hôtel chez un bourgeois. Ce chevalier est très courtois et je n'ai jamais vu si bel homme : même si j'en avais fait le serment, je ne saurais vous décrire sa beauté, ni complètement, ni à moitié ! » Le comte répond : « Je pense et je crois qu'il n'est pas plus beau que moi. —Ma foi, sire, fait le sergent, vous êtes très beau et bien fait; il n'y a pas ici de chevalier né dans le pays que vous ne surpassiez en beauté, mais j'ose dire de celui dont je parle qu'il est beaucoup plus beau que vous, si ce n'est qu'il est harassé de porter le haubert et meurtri par les coups reçus. Il a livré combat dans la forêt, seul contre huit chevaliers dont il emmène tous les destriers. Et il est accompagné d'une dame si belle que jamais nulle femme n'eut la moitié de sa beauté. »

Quand le comte entendit cette nouvelle, il lui prit envie d'aller voir si c'était vérité ou fausseté. « Jamais, dit-il, je n'entendis rien de tel. Mène-moi donc à son hôtel, pour que je sache avec certitude si tu me dis mensonge ou vérité. » L'écuyer répond : « Sire, volontiers. Voici le chemin et le sentier : il n'y a pas long parcours d'ici là. — Et il me tarde fort de le voir. », fait le comte. Il descend alors de la galerie. L'écuyer saute de son cheval et le laisse monter par le comte; puis il court devant annoncer à Erec que le comte vient le voir. Erec s'était installé très richement, selon son habitude : il y avait beaucoup de cierges allumés et une multitude de chandelles. Le comte arriva avec trois compagnons seulement ; il n'en avait pas amené davantage. Erec se leva à son approche, car il était très bien appris, et il lui dit : « Sire, soyez le bienvenu ! » Et le comte le salue à son tour. Ils ont fait connaissance l'un de l'autre sur une couette blanche et molle, et ils ont lié conversation. Le comte lui offre, lui propose et le prie de consentir qu'il lui rembourse ses frais d'hôtel. Mais Erec s'y refuse, disant qu'il a largement de quoi et n'a pas besoin de l'argent du comte.

Ils parlèrent beaucoup de mainte chose, mais le comte ne cessait de regarder d'un autre côté. Il avait remarqué la dame, et si grande était sa beauté qu'il ne pensait plus à rien d'autre. Tant il la désira et tant elle lui plut que sa beauté l'enflamma d'amour. Il demanda à Erec la permission de lui parler, mais en cachant son jeu : « Sire, fait-il, je vous demande la permission, à condition que cela ne vous ennuie pas : par courtoisie et pour l'agrément, je voudrais m'asseoir auprès de cette dame. C'est dans une bonne intention que je suis venu vous voir tous les deux et vous ne devez pas le prendre en mauvaise part. Je veux présenter à la dame mon service en toute chose. Je suis prêt à faire, sachez-le bien, tout ce qui lui plaira, pour l'amour de vous. » Erec n'était pas jaloux : il ne suspecta nulle fourberie. « Sire, fait-il, cela ne me gêne point. Il vous est loisible de vous distraire à lui parler. Ne croyez pas que ce me soit désagréable, je vous en donne volontiers la permission. »

La dame était assise à la distance de la longueur de deux lances ; le comte vint s'asseoir tout près d'elle, sur un escabeau bas. La dame se tourna de son côté, car elle était très sage et très courtoise. « Hélas ! fait le comte, comme je suis marri de vous voir aller en si vil équipage ! J'en ai grand chagrin et contrariété. Mais si vous m'en vouliez croire, vous y gagneriez honneur et profit, et il en résulterait pour vous de très grands biens. A votre beauté conviendrait grand honneur et grande seigneurie : je ferais de vous mon amie, s'il vous plaisait, et j'aurais pour vous toutes sortes de bontés. Vous seriez ma chère amie et la dame de toute ma terre. Alors que je daigne vous requérir d'amour, vous ne devez pas m'éconduire : je vois bien et je sais que votre seigneur ne vous aime ni ne vous estime, tandis que vous seriez unie à un bon seigneur si vous demeuriez avec moi. — Sire, vous vous donnez de la peine pour rien, fait Enide, cela ne peut être. Ah ! mieux vaudrait que je ne fusse pas encore née, ou brûlée en un feu d'épines et ma cendre dispersée au vent, plutôt que j'eusse, en quoi que ce fût, manqué à ma foi envers mon seigneur ou perversement médité félonie ou trahison ! Vous vous êtes grandement mépris quand vous m'avez fait telle proposition : je ne le ferais à aucun prix. » Le comte commence à s'enflammer : « Est-ce que vous dédaigneriez de m'aimer, madame ? Vous êtes trop fière. Les louanges et les prières ne vous feraient-elles consentir à rien de ce que je veux ? Il est bien vrai que plus on prie une femme, plus on la loue, et plus elle s'enorgueillit ; mais celui qui l'humilie et l'outrage la trouve souvent mieux disposée. En vérité je vous donne ma parole que, si vous ne faites pas ce que je désire, il y aura des épées tirées. Je ferai tuer votre seigneur ici même, à tort ou à raison, devant vos yeux. — Sire, dit Enide, vous pouvez arriver à vos fins par une meilleure voie que celle-là : vous seriez trop félon et traître si vous le mettiez à mort sur le champ. Mais, beau sire, calmez-vous maintenant, car je ferai votre plaisir. Vous pouvez prendre possession de moi comme de celle qui est vôtre : je suis vôtre et je le veux être. Ce que je vous ai dit n'était pas par orgueil, mais pour savoir et éprouver si vous m'aimiez de bon cœur ; mais je ne voudrais à aucun prix que vous eussiez fait pareille trahison. Mon seigneur ne se méfie pas de vous : si vous le mettiez à mort, comme vous le disiez, le blâme en rejaillirait sur moi. Tous diraient à travers la contrée. que vous auriez agi sur mon conseil. Tenez-vous en repos jusqu'à demain matin, au moment où mon seigneur voudra se lever : vous pourrez alors plus facilement en venir à bout, sans encourir blâme ni reproche. »

Le cœur a des sentiments que la bouche n'exprime point. « Sire, fait-elle, croyez-moi, ne soyez pas si troublé, mais demain, envoyez ici vos chevaliers et vos sergents et faites-moi enlever de vive force. Mon seigneur voudra se défendre, car il est fier et courageux, que ce soit dans un vrai combat ou dans une joute. Faites-le prendre et massacrer ou faites-lui couper la tête. J'ai mené trop longtemps cette vie : je n'aime pas la compagnie de mon seigneur, je ne puis pas mentir sur ce point. Je voudrais déjà vous sentir dans un lit, croyez-moi, nu contre mon corps nu. Nous en sommes arrivés à un tel point que vous êtes assuré de mon amour. » Le comte répond : « A la bonne heure ! » « Dame, fait-il, vous êtes née sous une bonne étoile : je vous garderai avec les plus grands égards. — Sire, fait-elle, je le crois bien, mais je veux avoir votre parole que vous me tiendrez toujours chère : autrement, je ne vous croirai pas. » Le comte répond, plein d'allégresse : « Recevez-en ma foi ; je vous promets, dame, loyalement, comme il convient à un comte, que j'accomplirai tous vos désirs. Ne vous inquiétez pas pour cela : vous n'aurez pas de vœu qui ne soit exaucé. » Enide a reçu la foi du comte, mais elle en fait peu de cas et ne la compte pour rien : c'était pour délivrer son seigneur. Elle savait bien, dès qu'elle voulait en prendre la peine, enjôler un sot par de belles paroles : il valait beaucoup mieux lui mentir que de laisser massacrer son seigneur.

Le comte s'est dressé devant elle et il la recommande cent fois à Dieu, mais il ne tirera pas grand profit de la foi qu'il lui a jurée ! Erec ne se doute pas qu'ils puissent comploter sa mort ; mais Dieu pourra bien venir à son aide et je crois qu'il le fera. Erec est maintenant en grand péril et il ne croit pas avoir à se garder. Le comte est vraiment de méchante nature quand il pense lui ravir sa femme et tuer un homme sans défense. Comme un félon, il prend de lui congé : « A Dieu, fait-il, je vous recommande. » Erec répond : « Et vous de même, sire. » Et ils se séparent sur ce mot.

La nuit était déjà fort avancée. Dans une chambre privée, deux lits avaient été faits par terre. Erec alla se coucher dans l'un et Enide dans l'autre : dolente et bouleversée, elle ne ferma pas l'œil de la nuit. C'est pour son seigneur qu'elle était en éveil, car elle avait assez vu le comte pour savoir qu'il était plein de félonie. Elle savait bien que, s'il tenait son seigneur à sa merci, il ne manquerait pas de lui faire un mauvais parti : il n'échapperait pas à la mort. Cette crainte ne lui laisse aucun moment de répit : il lui faut veiller toute la nuit ; mais avant le jour, si elle le peut et si son seigneur veut l'en croire, ils auront pris la route, si bien que le comte viendra pour rien et qu'il ne tiendra jamais ni elle, ni lui.

Erec dormit très longuement, toute la nuit, en sécurité, jusqu'aux approches du jour. Alors Enide vit bien qu'elle risquait de trop attendre. Pour son seigneur, elle avait la tendresse d'une dame bonne et loyale : son cœur ignorait la duplicité et la fausseté. Elle se vêtit, s'apprêta, vint à son seigneur et l'éveilla : « Ah ! sire, fait-elle, pardon ! levez-vous promptement d'ici, car vous êtes trahi en ce moment sans que vous ayez rien fait pour le mériter. Le comte est un traître fieffé : s'il peut vous trouver ici, vous n'en sortirez pas qu'il ne vous ait fait démembrer. Il me convoite ; c'est pourquoi il vous hait. Mais s'il plaît à Dieu, dont la bonté est sans limites, vous ne serez ni tué ni pris. Il vous eût tué dès hier soir, si je ne lui avait promis que je serais son amie et sa femme. Vous ne tarderez pas à le voir venir : il veut m'enlever, me prendre pour lui et vous tuer, s'il vous trouve. » Erec vit bien que sa femme se montrait loyale envers lui. « Dame, fait-il, faites rapidement seller nos chevaux ; faites lever notre hôte, et dites-lui de venir ici. Le traître est déjà à l'œuvre ! »

Déjà les chevaux sont sellés et la dame a appelé l'hôte. Erec s'est vêtu promptement et son hôte est venu le trouver : « Sire, dit-il, qu'est-ce qui vous presse pour que vous vous leviez à pareille heure, avant que paraissent le jour et le soleil ? » Erec répond qu'il doit faire une longue route parce qu'il craint fort d'être en retard : « Sire, dit-il, vous n'avez pas encore compté ma dépense. Vous m'avez traité avec honneur et bonté, et cela mérite une bonne récompense. Tenez-moi quitte pour sept destriers : je ne puis vous donner en surplus pas même la valeur d'un licol. » Le bourgeois fut content de ce don : il s'inclina jusqu'aux pieds d'Erec en lui rendant grâces et mille mercis. Alors Erec monte à cheval et prend congé, et ils se remettent en route. Toutefois, il fait la leçon à Enide pour que, si elle voit quelque chose, elle n'ait pas la présomption de l'en avertir.

Pendant ce temps entrent dans la maison, cent chevaliers armés, mais il sont tout déconfits en n'y trouvant pas Erec. Alors seulement le comte comprend que la dame s'est jouée de lui. Mais il voit les empreintes des clous de leurs chevaux, et tous se lancent sur leurs traces. Le comte profère des menaces contre Erec et dit que, s'il peut l'atteindre, rien ne pourra le retenir de lui couper la tête sans délai. « Malheur, dit-il, à qui ne prendra pas la peine d'éperonner bien vite ! Celui qui me présentera la tête du chevalier que je hais tant m'aura rendu le plus agréable des services. » Sur ce, ils le suivent au grand galop, enflammés de fureur contre celui qu'ils n'ont jamais vu.

Erec chevauche ; ils l'aperçoivent au moment où il allait entrer dans une forêt. L'un d'eux prend de l'avance sur le gros de la troupe; les autres, rivalisant de courtoisie, le laissent aller. Enide entend la rumeur et le bruit de leurs armes, de leurs chevaux, et voit que la vallée en est pleine. Dès qu'elle les voit s'approcher, elle ne peut se tenir de parler : « Ah ! sire, fait-elle, holà ! quelle attaque mène contre vous ce comte : il conduit toute une armée à votre poursuite ! Sire, pressez l'allure de votre cheval jusqu'à ce que nous soyons dans cette forêt. J'espère que nous leur échapperons vite, car ils sont encore loin en arrière. Mais si nous allons à ce train-là, vous ne vous en tirerez pas, car vous n'êtes pas à force égale. » Erec répond : « Vous m'estimez bien peu, puisque vous méprisez mes ordres. J'ai beau vous prier de mon mieux, je n'arrive pas à vous corriger. Mais si Dieu a pitié de moi et que je puisse me tirer de là, vous me paierez cher cette parole-ci, ou il faudra que mes dispositions aient bien changé. »

Ceci dit, il se retourne et voit arriver, sur un cheval vigoureux et rapide, le sénéchal du comte. Il fait en avant des autres un galop de défi, sur une distance égale à quatre portées d'arbalète. Il n'avait pas emprunté ses armes, car il était fort bien équipé ! Erec fait le compte de ses adversaires et voit qu'il y en a bien cent. Il estime qu'il se doit d'arrêter celui qui s'est lancé en avant à sa poursuite. Ils se portent l'un au devant de l'autre et se frappent sur les écus avec leurs deux fers tranchants et aiguisés. Erec lui fait pénétrer dans le corps son fort épieu d'acier : l'écu et le haubert ne le protègent pas plus qu'un cendal bleu.

Voici maintenant le comte au galop. D'après ce que raconte l'histoire, c'était un bon et courageux chevalier ; mais il agit comme un fou en ne prenant que l'écu et la lance ; il se fiait tellement en sa valeur qu'il ne voulut pas prendre d'autres armes. Aussi se montra-t-il trop téméraire quand il se porta plus de neuf arpents en avant de tous ses gens. Quand Erec le vit hors de la troupe, il gauchit vers lui : l'autre n'en avait pas peur. Ils s'attaquèrent fièrement. Le comte le frappa le premier sur la poitrine avec une telle vigueur qu'Erec eût vidé les étriers s'il n'y avait été solidement appuyé ; le coup fit craquer le bois de son écu, si bien que le fer passa au travers, mais le précieux haubert d'Erec le sauva de la mort, car pas une maille ne céda. Le comte était fort : il brisa sa lance. Erec à son tour le frappa avec une telle énergie sur l'écu peint en jaune qu'il lui enfonça dans le flanc plus d'une aune de sa lance et l'abattit, évanoui, de son destrier.

Alors il gauchit et fait demi-tour ; il ne reste plus sur la place, mais s'en va en droite ligne dans la forêt en galopant bon train. Voilà Erec en plein fourré. Les autres se sont arrêtés auprès de ceux qui gisaient au milieu du terrain : ils proclament très haut et jurent qu'ils poursuivront Erec à bride abattue, deux jours ou trois, plutôt que de renoncer à le prendre et à le tuer. Mais le comte entend leurs propos. Il était grièvement blessé au côté. Il se dresse un peu sur son séant, ouvre un petit peu les yeux et s'aperçoit qu'il a entrepris là une œuvre mauvaise. Il ordonne à ses chevaliers de se replier : « Seigneurs, fait-il, je vous le dis à tous : que pas un seul, fort ou faible, grand ou petit, ne soit assez hardi pour avancer d'un seul pas. Hâtez-vous de vous retirer. J'ai agi en vilain et je suis affligé de ma vilenie. Elle est très prudente, sage et courtoise, la dame qui a déjoué mes projets. Sa beauté m'a enflammé : parce que je la désirais, je voulais tuer son seigneur et la garder pour moi de force. Il était juste que malheur m'en advînt : sur moi est retombé le mal que je faisais comme fou et déloyal, traître et forcené. Jamais chevalier né de mère ne fut meilleur que celui-ci : jamais je ne lui causerai de dommage, dans la mesure où je pourrai le lui éviter. Et maintenant je vous ordonne de rebrousser chemin. »

Les chevaliers s'en vont, déconcertés. Ils emportent le sénéchal et ils ont étendu le comte sur son écu. Il vécut encore assez longtemps pour un homme dont la blessure n'était pas légère. C'est ainsi qu'Erec fut délivré.

Erec s'en va au grand galop par un chemin entre deux palissades. Au sortir d'un bois clôturé, ils trouvèrent un pont tournant, au-devant d'une haute tour qui était tout environnée d'un mur et d'un fossé large et profond. Vite ils passèrent le pont, mais ils n'étaient pas allés bien loin quand les vit, du haut de la tour, celui qui en était le seigneur. De lui, je saurai bien dire qu'il était très petit de corps, mais grand et hardi par le cœur. Quand il voit Erec qui passe le pont, il descend en bas de la tour et fait mettre sur un grand destrier alezan une selle à lions d'or. Puis il commande qu'on lui apporte écu et lance roide et forte, épée brunie et tranchante, heaume clair et luisant, blanc haubert et chausses à mailles serrées ; parce qu'il avait vu devant ses lices passer un chevalier armé, il voulait combattre avec lui jusqu'à épuisement, à moins que le chevalier ne se fatigât le premier et ne s'avouât recréant.

Ses gens ont exécuté ses ordres. Déjà le cheval est sorti, on lui met la selle et le frein, et un écuyer l'amène tandis qu'un autre apporte les armes. Le chevalier est sorti par la porte, le plus vite qu'il peut, tout seul, sans compagnon. Erec gravissait une côte. Voici le chevalier lancé à toute bride dans la montée, au milieu du tertre. Il était campé sur un cheval de fière allure, qui menait tel vacarme qu'il écrasait les cailloux plus aisément que la meule ne broie le froment et qu'il faisait voler en tous sens de claires étincelles : il semblait jeter le feu des quatre pieds.

Enide entend ce fracas effrayant. Elle manque de tomber de son palefroi, pâmée et sans mouvement : en tout son corps, pas une veine dont le sang ne reflue, son visage devient pâle et blanc comme si elle était morte. Elle s'abandonne au désespoir, car elle n'ose prévenir son seigneur, de peur qu'il ne la menace, qu'il ne la gronde et ne lui impose silence. Qu'elle parle ou qu'elle se taise, l'un et l'autre la fait souffrir, et elle ne sait quel parti prendre. Elle en délibère en elle-même : souvent elle s'apprête à parler et déjà la langue remue, mais la voix ne peut sortir, car la peur lui fait serrer les dents et tient enclose la parole. Elle s'inflige ainsi un vrai supplice : elle ferme la bouche et serre les dents pour que la parole ne s'échappe pas. Elle se livre à elle-même une grande bataille.

« Je suis assurée, se dit-elle, que je ferai une perte affreuse si je perds ici mon seigneur. Faut-il donc le prévenir franchement ? Non certes ! Et pourquoi ? Je n'oserais, car ce serait courroucer mon seigneur, et s'il se met en colère, il m'abandonnera dans ce bois, seule, chétive et égarée, et je serai encore plus malheureuse. Malheureuse ? Et que m'importe ? Le chagrin et la peine ne me quitteront jamais plus, aussi longtemps que je vive, si mon seigneur ne se tire pas immédiatement de ce mauvais pas et n'évite pas de mortelles blessures. Bien plus, si je ne le préviens pas sur l'heure, ce chevalier qui s'approche au galop l'aura tué avant qu'il ne se soit mis en garde, car il semble résolu à le mettre à mal. Malheureuse ! j'ai déjà trop attendu ! Il est vrai qu'il me l'a mainte fois défendu, mais cette défense ne me retiendra pas. Je vois bien que mon seigneur est si absorbé dans ses pensées qu'il s'oublie lui-même. Il est donc juste que je l'avertisse. » Elle le lui dit ; il la menace, mais il n'a aucune volonté de lui faire du mal, car il constate et il comprend qu'elle l'aime par dessus toute chose et qu'il l'aime elle-même autant qu'il est possible d'aimer.

Il s'élance contre le chevalier qui le provoque au combat. Ils se rencontrent à la sortie du pont : c'est là qu'ils s'abordent et se défient ; avec les fers de leurs lances, ils commencent à lutter l'un contre l'autre de toutes leurs forces. Les écus qui pendent à leurs cous ne les protègent pas plus que deux écorces ; ils déchirent le cuir, fendent les ais, rompent les mailles des hauberts, si bien qu'ils sont tous les deux transpercés et enferrés jusqu'aux entrailles et que leurs destriers gisent à terre. S'ils ne sont pas blessés à mort, ils le doivent à la robustesse de leurs blasons. Jetant les lances sur le terrain, ils tirent les épées du fourreau et s'en frappent avec ardeur. Ils se malmènent et se rudoient mutuellement, car ils ne s'épargnent en aucune façon. Ils se donnent sur les heaumes de si grands coups que des étincelles en jaillissent; ils fendent et disloquent les écus; en maint endroit, les épées pénètrent jusqu'à la chair nue. Ils faiblissent et se lassent, mais si les deux épées étaient demeurées plus longtemps entières, ils n'auraient pas lâché prise, et le combat n'eût fini qu'avec la mort de l'un d'eux.

Enide, qui les regarde, en est si affligée qu'elle est sur le point de perdre le sens. Qui l'aurait vue mener grand deuil, tordre ses poings, arracher ses cheveux et verser des larmes, aurait vu une dame loyale ; et qui l'aurait vue dans cet état aurait été le dernier des félons s'il n'en avait éprouvé grand pitié.

Ils échangent de grands coups. Depuis tierce jusqu'aux approches de none, le combat dura, si acharné que nul n'aurait pu discerner avec certitude à qui resterait l'avantage. Erec redouble d'efforts et s'évertue : il a enfoncé son épée dans le heaume de l'adversaire jusqu'au capuchon, si bien que l'autre est tout chancelant, mais il se tient si bien qu'il ne tombe pas. Alors il attaque Erec à son tour et le frappe si fort sur la rive de l'écu, que sa lame, qui était bonne et de grand prix, est brisée quand il la ramène. Quand le chevalier voit son épée brisée, de dépit, il jette sur le sol, le plus loin qu'il peut, le morceau qui lui restait au poing.

Il eut peur ; force lui était de battre en retraite, car un chevalier privé de son épée ne peut fournir un grand effort dans un combat ou un assaut. Erec l'attaque : l'autre le prie, pour l'amour de Dieu, de ne pas le tuer. « Grâce, fait-il, noble chevalier, ne vous montrez ni félon ni farouche avec moi. Parce que mon épée me fait défaut, vous avez la force et le pouvoir de me tuer ou de me prendre vivant, car je n'ai pas le moyen de me défendre. » Erec répond : « Puisque tu me pries, je veux que tu déclares sans réserve que tu es vaincu et conquis ; je cesserai de t'attaquer si tu te remets à ma merci. » Le chevalier hésite à répondre. Quand Erec le voit hésiter, pour accroître son désarroi, il l'attaque à nouveau : il lui court sus, l'épée levée, et l'autre dit, épouvanté : « Grâce, sire, je confesse que vous m'avez conquis, puisque je ne puis faire autrement. » Erec reprend : « Cela ne me suffit pas et vous n'en serez pas quitte pour si peu : dites-moi qui vous êtes et quel est votre nom, et je vous dirai le mien à mon tour. — Sire, fait-il, on ne peut mieux dire. Je suis roi de ce pays : les Irlandais sont mes hommes liges, il n'y en a pas un qui ne me paye tribut. J'ai nom Guivret le Petit. Je suis très riche et puissant : il n'y a pas un baron, établi sur les marches de ma terre, dans toutes les directions, qui cherche à rejeter mon autorité et qui ne fasse toute ma volonté. Je n'ai pas de voisin qui ne me craigne, tant soit-il orgueilleux ou fier. Je voudrais bien être désormais votre allié et votre ami. » Erec répond : « Je puis me vanter à mon tour d'être d'assez noble race. J'ai nom Erec, fils du roi Lac. Mon père est roi d'Outre-Galles. Il a de riches cités, de belles salles et de forts châteaux : aucun roi, aucun empereur n'en a davantage, hormis le roi Arthur. J'excepte celui-là, en vérité, car à lui nul ne s'égale. » Guivret, en l'entendant, manifeste un étonnement extrême : « Sire, dit-il, je suis émerveillé, jamais rien ne m'a causé tant de joie comme de faire votre connaissance. Vous pouvez disposer de ma terre et de mon avoir : aussi longtemps que vous voudrez y demeurer, vous y recevrez tous les honneurs. Aussi longtemps qu'il vous plaira d'y rester, vous en serez seigneur au-dessus de moi. Mais nous avons tous deux besoin de médecin. J'ai une résidence tout près d'ici, il n'y a pas six lieues ni sept ; je veux vous y mener avec moi et nous y ferons soigner nos plaies. » Erec répond : « Je vous sais gré de ce que vous venez de me dire. Je n'irai pas avec vous, pardonnez-moi ; je vous demande seulement, si je me trouvais en difficulté et que la nouvelle vous parvînt que j'eusse besoin de secours, de ne pas m'oublier. » — Sire, fait-il, je vous promets que, tant que je vivrai, chaque fois que vous aurez besoin de mon aide, j'irai aussitôt vous secourir avec tous les gens que je pourrai assembler. — Je n'ai rien de plus à vous demander, fait Erec, c'est déjà beaucoup promettre. Vous être mon seigneur et mon ami si vos actes répondent à vos paroles. »

Ils s'embrassent l'un l'autre et échangent des baisers. Jamais si dure bataille ne se termina par une si affectueuse séparation, car chacun découpa dans les pans de sa chemise des bandes longues et larges avec lesquelles ils pansèrent mutuellement leurs plaies. Quand ils se furent rendu ce service, ils se recommandèrent à Dieu et ils se séparèrent de cette manière : Guivret s'en retourna seul en arrière et Erec reprit son chemin. Il aurait eu grand besoin d'onguent pour soigner ses plaies, mais il ne cessa de cheminer jusqu'à ce qu'il fût arrivé en une plaine, proche d'une haute forêt, qui était pleine de cerfs, de biches, de daims, de chevreuils, de gibier et de toutes sortes de bêtes sauvages.

Le roi Arthur, la reine et les meilleurs de ses barons y étaient venus le jour même. Le roi voulait demeurer trois ou quatre jours en la forêt, pour se distraire, prendre ses ébats ; aussi, avait-il commandé d'apporter tentes, trefs et pavillons. Dans la tente du roi était entré messire Gauvain, las d'une longue chevauchée. Devant la tente se dressait un charme : il y avait suspendu son écu et sa lance de frêne, retenue à une branche par la bride, et il avait attaché par la rêne le gringalet, sellé et bridé.

Le cheval était là depuis quelque temps, quand arriva en ce lieu Keu le sénéchal : il y vint à vive allure et, par manière de divertissement, prit le cheval et monta dessus, sans que personne ne lui dît rien. Puis il prit la lance et l'écu qui était sur l'arbre, tout auprès. Galopant sur le gringalet, Keu s'en allait le long d'un vallon, quand il advint par aventure qu'il rencontra Erec. Erec reconnut le sénéchal, ainsi que les armes et le cheval, mais Keu ne reconnut pas Erec, car on ne pouvait discerner sur ses armes, à dire vrai, aucun blason : il avait reçu tant de coups d'épée et de lance sur son écu que toute la peinture en était écaillée. Quant à la dame, par grande ruse, parce qu'elle ne voulait pas que le sénéchal la vît ni ne la reconnût, elle mit sa guimpe devant son visage, comme si elle avait voulu se protéger de la chaleur ou de la poussière.

Keu s'avança en pressant le pas, saisit Erec par les rênes à l'improviste, sans le saluer ; puis, sans lui laisser faire un mouvement, il lui demanda avec orgueil : « Chevalier, je veux savoir qui vous êtes et d'où vous venez. — Vous êtes fol de me tenir ainsi, dit Erec, vous ne le saurez pas aujourd'hui. » Keu reprend : « Ne vous fâchez pas ! C'est pour votre bien que je le demande. Je vois et sais avec certitude que vous êtes meurtri et blessé. Prenez hôtel chez moi pour cette nuit; si vous voulez venir avec moi, je vous ferai traiter très richement, honorer et mettre à votre aise, car vous avez besoin de repos. Le roi Arthur et la reine sont près d'ici dans le bois, logés en des tentes et des pavillons. Je vous conseille, en toute bonne foi, de venir visiter avec moi la reine et le roi, qui seront heureux de vous voir et vous feront beaucoup d'honneur. » Erec répond : « Vous parlez bien, mais je n'irai à aucun prix. Vous ne savez pas ce qu'il me faut : il me faut aller encore beaucoup plus loin. Laissez-moi aller, car je m'attarde trop. Le jour est encore loin de sa fin. » Keu reprend : « Vous dites grande folie quand vous refusez de venir avec moi. Sans doute vous en repentirez-vous, car je crois que vous y viendrez tous les deux, vous et votre femme, de bon gré ou à contre-cœur, comme le prêtre va au synode. Cette nuit, vous serez mal servis, [croyez-en mon avis, si vous ne vous faites pas connaître]: venez donc vite, car je vous saisis ! »

Ce geste n'éveilla chez Erec qu'un profond dédain. « Vassal, fit-il, vous faites folie en m'entraînant de force à votre suite. Vous m'avez saisi sans me défier. Je dis que vous avez mal agi, car je croyais être en sécurité et je ne me gardais nullement de vous. » Alors il met la main à l'épée et dit : « Vassal, laissez ma bride ! Tirez-vous de là ! Je vous tiens pour orgueilleux et insensé. Si vous continuez à me tirer derrière vous, je vous frapperai, sachez-le bien. Laissez-moi suivre mon chemin. » Keu le lâche alors, mais il prend du champ sur plus d'un arpent, fait demi-tour et le défie, comme un homme plein d'une mauvaise colère. Ils gauchissent l'un contre l'autre, mais Erec se contente, parce que son adversaire était sans armure, de tourner le fer de sa lance en arrière et le talon devant. Pourtant, il lui donne un tel coup sur l'écu, là où il est le plus large, qu'il le lui projette violemment contre la tempe et lui serre le bras contre la poitrine ; il l'étend à terre de tout son long. Puis il s'approche du destrier, le saisit et le remet à Enide par la bride. Il veut l'emmener, mais l'autre qui était expert en flatterie, le supplie de le lui rendre par générosité ; il le flatte et l'amadoue avec art : « Vassal, fait-il, Dieu m'est témoin que ce destrier ne m'appartient nullement. Il est au chevalier du monde en qui se trouve la plus haute prouesse, monseigneur Gauvain le hardi. Je vous demande seulement de sa part de lui renvoyer son destrier, ce qui sera tout à votre honneur; vous agirez ainsi en homme généreux et sage, et je serai votre messager. — Vassal, répond Erec, prenez le cheval et ramenez-le ; puisqu'il est à monseigneur Gauvain, je n'ai pas le droit de le prendre. » Keu prend le cheval, remonte dessus, vient à la tente du roi et lui conte toute la vérité, sans rien lui cacher.

Le roi appelle Gauvain : « Beau neveu Gauvain, dit-il, si vous fûtes jamais noble et courtois, allez vite rejoindre ce chevalier et demandez-lui amicalement qui il est, et quelle affaire l'amène. Et si vous pouvez le décider à venir ici avec vous, gardez-vous bien d'y manquer. » Gauvain monte sur son gringalet, suivi de deux valets : ils ont tôt fait de rejoindre Erec, mais ne le reconnaissent pas. Gauvain le salue et il lui rend son salut ; après cet échange de salutations, messire Gauvain, plein de noblesse, lui dit : « Sire, le roi Arthur m'envoie à vous sur ce chemin. La reine et le roi vous mandent leurs saluts ; ils vous prient et demandent de venir vous distraire en leur compagnie. Ils veulent vous être utiles et non vous nuire, et ils ne sont pas loin d'ici. » Erec répond : « J'en remercie beaucoup le roi et la reine ensemble, et vous-même qui êtes, ce me semble, bien né et bien appris. Je ne suis pas bien portant, car j'ai le corps couvert de blessures; cependant, je ne m'écarterai pas de mon chemin pour prendre hôtel. Vous ne devez pas m'attendre plus longtemps. Allez-vous en, s'il vous plaît. » Gauvain était un homme de grand sens. Il se retire en arrière et souffle à l'oreille de l'un de ses valets le conseil qu'il ira aussitôt porter au roi : qu'il se mette en peine, sans délai, de détendre et abattre ses tentes et qu'il vienne tendre ses pavillons de lin à trois ou quatre lieues devant eux, au milieu du chemin. « C'est là qu'il lui faut loger cette nuit, s'il veut connaître et héberger le meilleur chevalier, en vérité, qu'il ait jamais vu ; je l'espère du moins, car il ne veut à aucun prix interrompre sa route pour prendre hôtel. »

Le valet s'éloigne et porte son mesage. Le roi, sans nul délai, fait détendre ses pavillons: ils sont détendus. On charge les chevaux de somme et on s'en va. Le roi monte sur l'aubagu, la reine monte ensuite sur un blanc palefroi de Norvège. Messire Gauvain, pendant ce temps, ne cessait de retarder Erec ; celui-ci lui dit : « J'ai fait plus de chemin hier que je n'en ferai aujourd'hui. Sire, vous m'importunez ; laissez-moi aller. Vous m'avez fait perdre une grande partie de ma journée. » Et messire Gauvain de répondre : « Je veux vous accompagner encore un peu; que cela ne vous fâche pas, car la nuit est encore loin. »

Ils ont tant perdu de temps en paroles que toutes les tentes sont déjà montées en avant d'eux. Erec les voit : cette fois-ci, il est hébergé, il s'en rend bien compte. « Ah ! fait-il, Gauvain, votre grand sens m'a berné ! Très habilement, vous m'avez retenu. Puisque les choses ont ainsi tourné, je vous dirai mon nom maintenant : vous le cacher davantage ne me servirait de rien. Je suis Erec, qui fus jadis votre compagnon et votre ami. » Quand il entend cela, Gauvain va l'embrasser ; il soulève son heaume, lui délace la ventaille, le prend par le cou et l'embrasse joyeusement, et Erec en fait de même pour lui. Enfin Gauvain se sépare de lui et dit : « Sire, cette nouvelle sera très agréable à mon seigneur ; ma dame et mon seigneur en seront joyeux. Je vais aller en avant pour la leur dire. Mais auparavant, il me faut embrasser, complimenter et fêter ma dame Enide, votre femme : ma dame la reine a fort grand désir de la voir, je l'entendis en parler hier encore. » Gauvain aussitôt s'approche d'elle et lui demande ce qu'elle devient, si elle est saine et bien portante; elle répond en dame bien apprise : « Sire, je n'aurais ni mal ni douleur si je n'éprouvais grande inquiétude pour mon seigneur ; ce qui m'angoisse, c'est qu'il n'a guère de membre sans plaie. » Gauvain répond : « J'en suis fort peiné. Cela se voit bien à son visage blême et décoloré. Je fus sur le point d'en verser des larmes quand je le vis si pâle et de si mauvaise mine ; mais la joie étouffe la tristesse, et sa vue m'a procuré une telle joie que j'ai oublié tout chagrin. Maintenant, venez au petit amble ; j'irai devant à vive allure dire à la reine et au roi que vous arrivez à ma suite ; je suis sûr que tous deux en auront grand joie quand ils le sauront. »

Il les quitte et vient à la tente du roi. « Sire, fait-il, il vous convient d'être joyeux, vous et ma dame, car voici venir Erec et sa dame ». Le roi, de joie, se lève d'un bond : « Certes, fait-il, grande est mon allégresse ; je ne pouvais entendre nouvelle qui me réjouît davantage. »

Le roi sort aussitôt de sa tente ; il rencontre Erec tout près de là. Quand Erec voit venir le roi, il descend à terre sans attendre et Enide descend à son tour. Le roi les embrasse et les salue, et la reine les embrasse et les baise aussi : il n'y a personne qui ne prenne part à cette joie. A l'instant même, sans retard, ils dévêtent Erec de ses armes ; mais quand ils découvrent ses plaies, la joie se change en douleur pour le roi et tous ses gens. Il fait apporter un onguent que Morgue, sa sœur, avait composé. Cet onguent, que Morgue avait donné à Arthur, était merveilleusement efficace : si une plaie en était ointe, soit sur les nerfs, soit sur les jointures, elle ne manquait jamais de se guérir entièrement au bout d'une semaine, pourvu qu'on y appliquât cet onguent une fois par jour. On apporte au roi l'onguent, dont Erec est tout réconforté.

Quand ils ont lavé ses plaies, étendu l'onguent par dessus et qu'ils les ont bandées à nouveau, le roi emmène Erec et Enide dans sa chambre princière; il dit que, pour l'amour d'Erec, il veut séjourner dans la forêt quinze jours pleins, jusqu'à ce qu'il soit guéri et bien portant. Erec en remercie le roi et lui dit : « Sire, je n'ai pas de plaie qui me fasse tellement souffrir que je veuille, pour cela, renoncer à mon voyage. Nul ne me pourrait retenir : demain, sans plus tarder, je veux partir de bon matin, quand je verrai se lever le jour. »

Le roi hoche la tête et dit : « C'est un grand malheur que vous ne veuilliez pas rester, car je sais bien que vous souffrez beaucoup. Demeurez, vous ferez sagement ; ce sera trop grand dommage si vous mourez dans cette forêt. Beau doux ami, restez ici, jusqu'à ce que vous soyez complètement rétabli. » Erec répond : « Mon entreprise est si bien arrêtée que je ne saurais m'attarder en aucune façon. Cessez donc de m'en parler et ordonnez d'apprêter le souper et de mettre les tables : les valets vont s'y employer. »

C'était un samedi soir : ils mangèrent du poisson et des fruits, brochets et perches, saumons et truites, et puis poires crues et cuites. Ils ne s'attardèrent pas après souper : ils commandèrent d'enlever les nappes. Le roi avait une grande affection pour Erec : il le fit coucher seul en un lit, ne voulant pas laisser quelqu'un coucher avec lui, au contact de ses plaies. Erec eut un bon hôtel cette nuit-là. Dans une chambre voisine, Enide et la reine, sur une grande couverture d'hermine, dormirent d'un sommeil reposant jusqu'aux premières lueurs du matin.

Le lendemain, au point du jour, Erec se lève et se prépare, il ordonne de seller ses chevaux et d'apporter ses armes ; les valets courent et les lui apportent. Le roi et tous les chevaliers l'exhortent encore à demeurer, mais les prières sont inutiles, car il ne veut rester pour rien au monde. Alors vous les auriez vus tous pleurer et s'affliger autant que s'ils l'avaient déjà vu mort. Erec s'arme, Enide se lève. La séparation est douloureuse pour tous, car ils pensent ne jamais plus les revoir. Tous, après eux, sortent des tentes, et ils font envoyer chercher leurs chevaux afin de leur faire escorte et de les mettre en route. Erec leur dit : « Ne prenez pas cette peine ; vous ne ferez pas un seul pas avec moi. Si vous voulez me faire une grande grâce, demeurez. » On lui amène son cheval et il y monte sans retard ; il prend son écu et sa lance. Il recommande tous les assistants à Dieu et eux le recommandent en retour. Enide monte ; ils s'en vont.

Ils sont entrés dans une forêt ; ils ne cessent de cheminer jusqu'à prime. Ils cheminèrent tant dans la forêt qu'ils perçurent au loin les cris de détresse d'une jeune fille. Erec a entendu les cris : il a bien senti, à leur accent, que la voix exprimait la douleur et qu'elle réclamait du secours. Aussitôt, il appelle Enide : « Dame, fait-il, il y a dans ce bois une jeune fille qui pousse des cris perçants ; à mon sens, elle a besoin d'aide et de secours. Je veux me rendre rapidement de ce côté et savoir de quoi elle a besoin. Descendez ici de cheval, tandis que j'irai là-bas, et attendez que je revienne. — Sire, répond-elle, volontiers. »

Il la laisse seule et s'en va seul : bientôt, il trouve la jeune fille qui ne cessait de crier dans le bois pour son ami que deux géants avaient saisi et qu'ils emmenaient en le tourmentant vilainement. La jeune fille pleure et soupire et, tout en soupirant, elle lui répond : « Sire, ce n'est pas merveille si je montre grand chagrin, car je serais morte s'il dépendait de moi. Je ne tiens pas à ma vie et je n'en fais aucun cas, car mon ami est emmené prisonnier par deux géants, félons et cruels, qui sont ses mortels ennemis. Seigneur, que ferai-je, pauvre malheureuse, pour le meilleur chevalier qui soit en vie, le plus généreux et le plus noble ? Il est maintenant en grand péril de mort ; ils le feront mourir aujourd'hui, très injustement, et d'une mort très ignominieuse. Noble chevalier, je t'en prie pour l'amour de Dieu, viens au secours de mon ami, si tu en as le pouvoir : tu n'auras pas besoin de courir très loin, car ils sont encore très près d'ici. — Demoiselle, reprend Erec, je les poursuivrai, puisque vous m'en priez, et soyez bien sûre que je ferai tout ce que je pourrai : ou bien je serai prisonnier avec votre ami, ou bien je vous le rendrai en liberté. Si les géants le laissent vivre assez longtemps pour que je puisse les rejoindre, je pense bien me mesurer avec eux. — Noble chevalier, fait la jeune fille, je serais toujours votre servante si vous me rendiez mon ami. Que Dieu vous ait en sa sainte garde. Mais hâtez-vous, par pitié. — De quel côté s'en vont-ils ? — Sire, par ici. Voici le chemin et les traces des chevaux. » Alors Erec se lance au galop, après lui avoir demandé de l'attendre là. La pucelle le recommande à Dieu et prie très doucement le Seigneur de lui donner, par sa puissance, la force de déconfire ceux qui ont pris son ami en haine.

Erec s'en va en suivant les traces des géants et il leur donne la chasse à toute bride. Il les a tant chassés et poursuivis qu'il les aperçoit au moment où ils allaient sortir du bois. Il voit le chevalier assis sur un ronçin, sans vêtements, déchaussé et nu, comme s'il avait été pris en flagrant délit de vol, mains et pieds liés. Les géants n'avaient ni épieux, ni écus, ni épées tranchantes, ni lances, mais seulement des massues, et ils tenaient tous deux des fouets. Ils avaient tant frappé et battu le chevalier, qu'ils lui avaient déjà labouré la chair du dos jusqu'aux os ; le sang ruisselait en descendant le long des côtés et des flancs, si bien que le ronçin lui-même était tout en sang jusque sous le ventre. Erec les rejoignit tout seul, très affligé et très anxieux pour le chevalier qu'il voyait maltraité si honteusement. Il les atteignit dans une lande, entre deux bois, et leur demanda : « Seigneurs, pour quel forfait traitez-vous cet homme de si laide façon, vous qui l'emmenez comme un voleur ? Vous lui faites subir un traitement honteux comme s'il avait été surpris à voler. C'est grande vilenie que de dépouiller un chevalier, puis de le garrotter tout nu et de le frapper si honteusement. Remettez-le moi, je vous le demande par générosité et par courtoisie ; je ne l'exige pas par la force. — Vassal, en quoi cela vous regarde-t-il ? Vous agissez très follement en nous demandant quoi que ce soit à son sujet. Si la chose vous déplaît, eh bien, amendez-la ! ». Erec répond : « En vérité, cela m'afflige, vous ne l'emmènerez pas aujourd'hui sans débat ; puisque vous me permettez de vous en disputer l'enjeu, que celui-là l'emporte qui pourra l'emporter. Avancez-vous ici, je vous défie :

vous ne l'emmènerez pas plus loin avant que nous n'ayons échangé des coups. — Vassal, font-ils, vous êtes fou quand vous prétendez engager la lutte contre nous. Même si vous étiez quatre au lieu d'un, vous n'auriez pas plus de force, en comparaison de nous, qu'un agneau n'en a contre deux loups. — Je ne sais ce qu'il en adviendra, répond Erec. Si le ciel tombe et que la terre se dérobe, plus d'une alouette sera prise. Tel se vante beaucoup qui ne vaut pas grand chose. En garde, je vous attaque ! »

Les géants, qui étaient forts et farouches, tenaient serrées entre leurs mains de grandes massues carrées. Erec s'avança, lance sur feutre : il ne redoutait ni l'un ni l'autre en dépit de leurs menaces et de leur orgueil. Il frappa le premier des deux dans l'œil ; le coup traversa la cervelle, si bien que le sang jaillit avec la cervelle de l'autre côté, par la nuque : celui-là tomba mort, le cœur s'arrêta net. Quand le second vit que le premier était mort, il en fut courroucé, et non sans raison : il se disposa à le venger férocement. Il leva sa massue de ses deux mains et pensa en frapper Erec d'un coup droit sur la tête avant qu'il ait pu se protéger. Mais Erec para le coup et le reçut sur son écu : le coup du géant était si fort qu'Erec en fut tout étourdi, et qu'il faillit de bien peu trébucher de son destrier sur le sol. Erec se couvrit de son écu : le géant visa de nouveau et crut bien cette fois l'atteindre sans obstacle, en plein sur la tête. Mais Erec avait tiré son épée, et il en asséna un coup dont le géant fut mal servi. Il le frappa au milieu du crâne et fendit le géant en deux jusqu'aux arçons, si bien que les entrailles se répandirent sur le sol et que le corps tomba de tout son long, partagé en deux moitiés.

Le chevalier pleure de joie ; il invoque et adore Dieu qui lui a envoyé du secours. Alors Erec le délie, l'aide à se vêtir et à s'équiper, le fait monter sur le cheval de l'un des géants et lui donne à conduire l'autre cheval de la main droite, puis il lui demande qui il est : « Noble chevalier, fit l'autre, tu es mon droit seigneur. Je veux faire de toi mon seigneur, et je dois le faire en toute justice, car tu m'as sauvé la vie : sans toi, mon âme aurait été séparée de mon corps au milieu de cruels tourments et de supplices. Quelle aventure, beau doux sire, t'a envoyé ici vers moi pour l'amour de Dieu, en sorte que tu m'as arraché, par ta vaillance, des mains de mes ennemis ? Sire, je veux te faire hommage : toujours désormais j'irai avec toi et je te servirai comme mon seigneur. » Erec vit que le chevalier avait le désir de faire son service et son bon plaisir, si cela lui était possible ; mais il lui dit : « Ami, ce que je veux obtenir de vous, ce n'est pas votre service ; il importe que vous sachiez que je suis venu ici à votre secours, à la prière de votre amie que j'ai trouvée dans ce bois, très affligée. Elle est en train de gémir et de se lamenter, et son cœur est tout affligé. Je veux lui faire présent de votre personne ; si je pouvais vous réunir à elle, alors je reprendrais tout seul mon chemin, car il ne faut pas compter venir avec moi. Je n'ai pas besoin de votre compagnie, mais je désire savoir votre nom. »

— Sire, dit le chevalier, à votre guise. Puisque vous voulez savoir mon nom, je ne dois pas vous le cacher. [Je me nomme Cadoc de Cabruel, beau sire; c'est ainsi qu'on m'appelle. Mais puisqu'il me faut me séparer de vous, je voudrais savoir, s'il se peut, qui vous êtes et de quel pays...] — Si vous voulez faire quelque chose pour m'honorer, en ce cas, allez tout de suite auprès de mon seigneur le roi Arthur, qui chasse en très grand équipage dans la forêt qui est derrière nous : à mon avis, il n'y a pas d'ici là cinq petites lieues. Allez-y vite et dites-lui que vous lui êtes envoyé par celui qu'il a revu avec joie hier au soir et qu'il a hébergé sous sa tente ; et gardez-vous bien de lui cacher de quel tourment je vous ai délivré, vous-même et votre amie. Je suis très aimé à la cour ; si vous vous réclamez de moi, vous me ferez ainsi service et honneur. Là, vous demanderez qui je suis : vous ne pouvez le savoir autrement. — Sire, fait Cadoc, je veux accomplir tout ce que vous m'ordonnez. Soyez sans crainte : j'irai là-bas très volontiers et je raconterai très bien au roi la vérité sur le combat que vous avez livré pour moi ».

En devisant ainsi, ils cheminèrent si bien qu'ils arrivèrent à l'endroit où Erec avait laissé la jeune fille. Celle-ci ressentit une grande joie en revoyant son ami qu'elle ne pensait plus jamais revoir. Erec le lui présenta par la main et il lui dit : « Ne vous désolez pas, demoiselle, car voici votre ami tout joyeux et réjoui. » Elle répondit très sagement « Sire, il est juste que nous soyons désormais tous les deux, lui et moi, en votre puissance ; nous devons être vôtres, l'un et l'autre, pour vous servir et vous honorer. Mais qui pourrait acquitter, même pour moitié, la dette que nous avons contractée envers vous ? — Ma douce amie, fait Erec, je ne vous demande aucune récompense ; je vous recommande tous les deux à Dieu, car je pense m'être attardé trop longtemps. » Alors, il tourne bride et s'éloigne le plus vite qu'il peut. Cadoc de Cabruel se met en route de son côté, lui et sa pucelle : il a porté la nouvelle au roi Arthur et à la reine.

Erec toutefois, ne cesse de chevaucher à grand train, jusqu'à l'endroit où Enide l'attendait : elle s'était fait, depuis son départ, bien du souci, car elle croyait fermement qu'il l'avait abandonnée tout à fait. Et lui redoutait fort, de son côté, que quelqu'un ne l'eût emmenée et ne l'eût soumise à son caprice ; c'est pourquoi il se hâtait de retourner vers elle. Mais la chaleur qu'il faisait ce jour-là et le poids des armes l'accablèrent tellement que ses plaies se rouvrirent et que tous ses pansements se déchirèrent : ses plaies ne cessaient de saigner tandis quil se rendait, en droite ligne, à l'endroit où Enide l'attendait.

En le voyant, celle-ci ressentit une grande joie, mais elle ne comprit pas d'où venait la douleur qui le faisait gémir : c'est que tout son corps baignait dans le sang et le cœur lui manquait. Tandis qu'il descendait un tertre, il s'affaissa tout à coup en avant jusque sur le cou du cheval ; alors qu'il cherchait à se redresser, il vida la selle et les étriers et tomba évanoui, comme s'il eût été mort. Quand Enide le voit sur le sol, elle commence à mener grand deuil : il lui en coûte d'être encore en vie et elle court vers Erec, sans chercher à dissimuler son désespoir. Tout en poussant des cris, elle se tord les poignets ; elle déchire entièrement sa robe devant sa poitrine, se met à arracher ses cheveux et à égratigner son visage délicat. « Ah ! Dieu, fait-elle, beau doux sire, pourquoi me laisses-tu vivre si longtemps ? Mort, tue-moi donc, je t'en donne licence ». A ces mots, elle tombe pâmée sur le corps de son mari ; quand elle reprend connaissance, elle s'adresse de vifs reproches : « Ah ! fait-elle, malheureuse Enide, je suis homicide de mon seigneur ! Je l'ai mis à mort par ma folie : il serait encore vivant à l'heure qu'il est, si je n'avais prononcé, en femme présomptueuse et insensée, la parole qui a déterminé mon seigneur à entreprendre ce voyage. Jamais un bon silence n'a fait de tort à personne, tandis que le parler est maintes fois nuisible : j'ai bien fait l'expérience de cette vérité en toute manière. »

Elle s'assied auprès de son seigneur, dont elle pose la tête sur ses genoux, et reprend sa lamentation ; « Hélas, sire, comme tu as été malchanceux ! Nul ne pouvait se comparer à toi, car tu étais le miroir de Beauté, le chef-d'œuvre de Prouesse; Sagesse t'avait donné son cœur et Largesse t'avait couronné, elle sans qui personne ne peut avoir grande valeur. Mais qu'ai-je dit ? Je me suis trop lourdement trompée quand j'ai prononcé la parole qui a causé la mort de mon seigneur, la mortelle parole empoisonnée qui me doit être reprochée. Car je reconnais et confesse que nul n'en porte la faute sinon moi ; moi seule dois en être blâmée ». Elle tombe à nouveau pâmée sur le sol ; quand elle se relève, elle s'écrie avec une véhémence croissante : « Dieu ! que ferai-je ? Pourquoi vivre si longtemps ? Pourquoi la Mort tarde-t-elle ? Qu'attend-elle pour me prendre sans nul répit ? La Mort a trop de mépris pour moi, quand elle dédaigne de me tuer ; il convient que je tire vengeance moi-même de mon forfait. Je mourrai donc, malgré la Mort qui ne veut pas m'aider. Tous les souhaits du monde ne me feront pas mourir et toutes mes lamentations ne m'avanceront à rien : c'est à l'épée que mon seigneur avait ceinte qu'il appartient, en toute équité, de venger sa mort. Je ne m'en remettrai plus désormais à une autre volonté, et je n'en serai plus réduite aux prières et aux souhaits. »

Elle tire l'épée du fourreau et commence à la contempler, mais Dieu qui est plein de miséricorde la fait un peu tarder. Tandis qu'elle se remémore sa douleur et son infortune, survient à grande allure un comte avec une forte troupe de chevaliers : il avait entendu de très loin les grands cris que poussait la dame. Dieu n'avait pas voulu l'abandonner, car elle se serait tuée sur le champ, si ces chevaliers ne l'avaient surprise : ils lui enlèvent l'épée des mains et la remettent dans le fourreau. Alors le comte descend de cheval et commence à lui demander, au sujet du chevalier inanimé, si elle était sa femme ou son amie : « L'une et l'autre, sire, fait-elle ; j'ai tant de chagrin que je ne sais quoi vous dire, mais il m'en coûte de ne pas être encore morte. » Le comte la réconforte de son mieux: « Dame, fait-il, je vous en prie au nom de Dieu, ayez pitié de vous ! La simple raison vous en fait un devoir ; bien plus, c'est sans sujet que vous vous tourmentez, car vous pourrez encore connaître une haute fortune. N'affectez pas désormais d'être indifférente à tout. Consolez-vous et ce sera sagesse : Dieu ne tardera pas à vous rendre joyeuse. Votre beauté qui est si délicate vous destine à un heureux sort : je vous prendrai pour femme et ferai de vous une comtesse et une dame. Voilà qui doit vous réconforter grandement. Je vais faire transporter le corps et il sera mis en terre avec grand honneur. Laissez donc s'apaiser la douleur insensée que vous manifestez. » Elle lui répond : « Fuyez, sire ! pour l'amour de Dieu, laissez-moi en paix. Vous perdez ici votre peine : rien de ce que l'on pourrait dire ou faire ne serait capable de me rendre la joie. » Alors le comte se retire en arrière et dit : « Faisons vite une civière sur laquelle nous emporterons le corps. Nous emmènerons en même temps la dame, tout droit au château de Limors. C'est là que le corps sera enterré ; ensuite, je compte bien épouser la dame, quelque dépit qu'elle en ait, car je n'en ai jamais vu de si belle et je n'ai jamais tant désiré une femme. Je suis tout joyeux de l'avoir rencontrée. Faisons donc vite et sans délai une civière munie de brancards pour les chevaux: tous à l'ouvrage, point de paresse ! » Plusieurs dentre eux tirent leurs épées : ils ont vite fait de couper deux perches et de lier des bâtons en travers ; ils y couchent Erec sur le dos et attellent deux chevaux à la civière. Enide chevauchait à côté et ne cessait d'exhaler sa douleur. Souvent elle se pâmait et tombait à la renverse ; les chevaliers qui la menaient la retenaient entre leurs bras.

Tout en la soutenant et en la consolant, ils portent jusqu'à Limors le corps d'Erec et l'amènent dans le palais du comte. Tout le peuple y monte à leur suite : dames, chevaliers et bourgeois. Au milieu de la salle, sur une table ronde, ils placent et étendent le corps, la lance et l'écu à ses côtés. La salle se remplit ; grande est la foule ; chacun s'empresse de demander quel est ce deuil et quel est ce mystère. Pendant ce temps, le comte réunit ses barons en conseil privé : « Seigneurs, fait-il, je veux sans délai prendre cette dame pour épouse. Il nous est facile de reconnaître, à sa beauté et à sa sagesse, qu'elle est d'un très haut lignage. Sa beauté et sa noblesse montrent qu'elle serait bien à sa place à la tête d'un royaume ou d'un empire.

Si je l'épouse, ma valeur n'en sera pas diminuée, et je crois même plutôt que j'y aurai beaucoup à gagner. Faites appeler mon chapelain, et vous, allez chercher la dame : je veux lui donner en douaire la moitié de toute ma terre, si elle consent à faire ma volonté. » Ils font alors venir le chapelain, comme le comte l'avait commandé, puis ils amènent la dame à son tour et ils la marient avec lui de force. Elle s'y opposait de toute sa volonté, mais le comte l'épousa quand même, parce que tel était son plaisir. Et quand il l'eut épousée, aussitôt après, le connétable fit dresser les tables dans le palais et apprêter le repas, car c'était déjà l'heure du souper.

Après vêpres, en ce jour de mai, Enide était en grand émoi ; son chagrin ne s'apaisait point, et le comte la pressait souvent, par prières et par menaces, de se calmer et de prendre du bon temps. On l'avait fait asseoir dans un fauteuil, contre sa volonté ; mais, de gré ou de force, ils l'y ont assise et ont amené la table devant elle. En face d'elle s'est assis le comte, qui pensait devenir enragé parce qu'il ne réussissait pas à la consoler : « Dame, fait-il, il vous faut laisser de côté et oublier ce chagrin. Vous pouvez vous fier à moi pour être comblée d'honneurs et de richesses. Vous pouvez tenir pour certain que le chagrin que l'on a pour un mort ne le fait pas revivre :

jamais personne n'a vu se produire rien de pareil. Souvenez-vous de quelle pauvreté je vous ai tirée, et quelle grande richesse je mets à votre disposition. Vous étiez pauvre et maintenant vous êtes riche. La fortune ne s'est pas montrée chiche envers vous, puisqu'elle vous a élevée à un tel degré d'honneur que vous serez désormais appelée comtesse. Il est vrai que votre seigneur est mort ; si vous en avez du chagrin et de l'affliction, croyez-vous que j'en sois étonné ? Nullement. Mais je vais vous donner un conseil, le meilleur que je sache : dès lors que je vous ai épousée, vous devez vous en réjouir grandement. Gardez-vous de me courroucer, et mangez, puisque je vous y invite. — Sire, fait-elle, je n'en ai cure, et tant que je vivrai, je ne veux ni manger ni boire, si je ne vois pas d'abord manger mon seigneur qui est étendu sur cette table ronde. — Dame, cela ne peut pas arriver, vous vous faites passer pour folle quand vous dites si grande folie ; et vous serez durement punie si vous m'obligez encore une fois aujourd'hui à vous en avertir. » Elle ne daigne lui répondre un seul mot, car elle ne fait aucun cas de ses menaces. Alors le comte la frappe au visage ; elle pousse un cri, et les barons qui entourent le comte l'en blâment : « Arrêtez, sire, font-ils au comte, vous devriez avoir grand honte d'avoir frappé cette dame parce qu'elle ne mange pas : vous avez commis là une très grande vilenie. Si cette dame se désole pour son seigneur qu'elle croit mort, nul ne doit dire qu'elle ait tort. — Taisez-vous tous ! reprend le comte ; la dame est à moi et je suis à elle ; aussi ferai-je d'elle tout ce qui me plaira. » Alors elle ne peut plus se taire, mais elle jure que jamais elle ne sera à lui ; le comte lève la main et la frappe à nouveau. Elle s'écrie d'une voix forte : « Ah ! peu m'importe ce que tu peux me dire ou me faire : je ne crains ni tes coups ni tes menaces. Bats-moi, frappe-moi tant que tu voudras : tu auras beau te montrer féroce, je ne ferai pour toi ni plus ni moins, même si tu devais à l'instant m'arracher les yeux de tes propres mains ou m'écorcher toute vive. »

Au milieu de ces propos et de ces disputes, Erec revient de sa pamoison, tel un homme qui s'éveille. S'il est ébahi de voir tous ces gens autour de lui, ce n'est pas merveille ; mais il a grand chagrin et contrariété quand il entend la voix de sa femme. Il descend de la table ronde sur le sol et tire rapidement son épée ; la colère lui donne de l'audace, ainsi que l'amour dont sa femme faisait preuve. Il court du côté où il la voit et frappe le comte en plein sur la tête, sans le défier et sans lui adresser la parole, si bien qu'il lui ouvre le crâne et le front, et fait jaillir le sang et la cervelle. Les chevaliers bondissent loin des tables : tous croient que le diable en personne est venu là parmi eux. Il n'y reste ni jeune homme ni vieillard chenu, car tous étaient en grand émoi; ils se poussaient les uns les autres en fuyant à toutes jambes le plus vite qu'ils pouvaient. Ils eurent vite fait de vider le palais, et tous disaient, les forts comme les faibles : « Fuyez ! fuyez ! Voici le mort ! » La presse était très grande à la sortie, car chacun s'efforçait de fuir au plus tôt ; ils se heurtaient et se poussaient les uns les autres, car celui qui était le dernier de la bande aurait voulu être au premier rang ; ainsi tous s'en vont fuyant, sans que l'un ose attendre l'autre.

Erec courut prendre son écu, il le pendit à son col par la guiche. Enide prit la lance, et ils s'en vinrent tous deux au milieu de la cour. Nul autre ne fut assez hardi pour se diriger vers eux, car ils ne croyaient pas être pris en chasse par un homme, mais par un diable ou un démon qui s'était introduit dans son corps. Tous s'enfuient, Erec les chasse. Il ne trouva dehors, au milieu de la place, qu'un garçon qui voulait mener à l'abreuvoir son propre cheval, muni de bride et de selle. L'occasion lui fut bonne : Erec sauta sur le cheval, que le garçon lui abandonna aussitôt, car il avait grand peur.

Erec monte entre les arçons, puis Enide met

le pied à l'étrier et saute sur le cou du destrier, suivant l'ordre d'Erec qui l'aide à se hisser. Le cheval les emporte tous les deux : ils trouvent la porte ouverte et s'en vont sans que nul ne les arrête. Les gens du bourg étaient fort contristés par le meurtre du comte, mais il ne s'en trouva aucun, si valeureux fût-il, pour donner la chasse à Erec et venger le mort. Le comte a été tué pendant son repas, mais Erec, qui emporte sa femme, l'embrasse, lui donne des baisers et la rassure; il la serre entre ses bras, contre son cœur, et lui dit : « Ma douce sœur, je vous ai bien éprouvée en toute chose. Cessez désormais de vous inquiéter, car je vous aime maintenant plus que jamais et je suis à nouveau sûr et certain que vous m'aimez parfaitement. Je veux être dorénavant tout à vos ordres, comme je l'étais précédemment ; et si vous m'avez offensé en paroles, je vous le pardonne entièrement et vous tiens quitte de cette faute et de cette parole. » Alors il la baise et l'embrasse à nouveau. Enide est loin d'être mal à l'aise, quand son seigneur l'embrasse et la baise, en l'assurant encore de son amour. Ils s'en vont à vive allure, à travers la nuit ; et ce leur était une grande douceur que la lune luisait claire, cette nuit-là.

La nouvelle s'était vite répandue, car rien ne court aussi vite qu'une nouvelle. Celle-ci était déjà parvenue à Guivret : on lui avait raconté qu'un chevalier, blessé par des armes, avait été trouvé mort dans la forêt, et auprès de lui, une dame de toute beauté dont les yeux semblaient des étincelles et qui était en proie à un chagrin inouï. L'orgueilleux comte de Limors les avait trouvés tous les deux : il avait fait emporter le corps et voulait épouser la dame, mais celle-ci s'y refusait. Quand Guivret entendit cette nouvelle, il n'en éprouva aucune joie, car il se souvint aussitôt d'Erec : son cœur lui inspira la pensée d'aller à la recherche de la dame et de faire mettre le corps en terre avec grand honneur, s'il s'agissait bien d'Erec. Il avait assemblé mille chevaliers et sergents pour prendre le château de Limors : si le comte ne voulait pas lui rendre de bon gré la dame et le corps, il mettrait tout à feu et à flamme. A la clarté de la lune, qui était vive, il conduisait ses gens vers Limors, les heaumes lacés, les hauberts endossés, les écus pendus au cou : tous s'avançaient armés de la sorte.

Il était déjà près de minuit quand Erec les aperçut : il se crut pris au piège, mort ou prisonnier sans recours. Il fait descendre Enide de son cheval, le long d'une haie : s'il se trouble, ce n'est pas merveille. « Restez ici un peu de temps, dame, fait-il, le long de ce sentier, jusqu'à ce que ces gens soient passés ; je n'ai cure qu'ils nous voient, car je ne sais qui ils sont, ni ce qu'ils cherchent par ici. Espérons que nous n'avons rien à craindre d'eux, mais je ne vois d'aucun côté un lieu où nous pourrions faire retraite s'ils voulaient nous nuire. Je ne sais si mal m'en prendra ; mais ce n'est pas la peur qui me retiendra d'aller à leur rencontre, et si je suis attaqué par l'un d'eux, je ne manquerai pas de jouter avec lui. Pourtant, je suis très souffrant et fatigué : ce n'est pas étonnant si je souffre. Je veux aller droit à leur rencontre ; quant à vous, tenez-vous ici en silence, et prenez garde qu'aucun d'eux ne vous aperçoive, jusqu'à ce qu'ils soient loin de vous. »

A ce moment survient, lance baissée, Guivret qui l'avait vu de loin : ils ne se sont pas reconnus, parce que la lune était alors voilée par un nuage sombre. Erec était très faible et tout endolori, tandis que Guivret était entièrement remis de ses blessures et des coups reçus. Erec va agir en fou s'il ne se fait pas immédiatement reconnaître. Il s'avance au-delà de la haie; Guivret éperonne de son côté, mais sans lui adresser aucune parole. Erec non plus ne sonne mot : il tente une entreprise au dessus de ses forces. Celui qui veut faire plus qu'il ne peut en est réduit à se rendre ou à cesser le combat.

Ils joutent l'un contre l'autre, mais la joute

n'est pas égale, car l'un est faible et l'autre fort. Guivret lui assène un si rude coup qu'il le renverse sur la croupe du cheval et le culbute contre terre. Enide, qui était à pied, voyant son seigneur sur le sol, croit être de nouveau perdue : elle sort de derrière la haie et accourt à l'aide de son seigneur. Elle avait eu déjà bien de la peine, mais jamais autant. Elle marche vers Guivret, le saisit par la rêne du cheval et lui dit : « Maudit sois-tu, chevalier, pour avoir attaqué un homme seul et sans force, souffrant et presque blessé à mort, et cela si injustement que tu ne sais pas même pourquoi. Si tu avais été seul, sans compagnie et sans secours, tu aurais pu te livrer à cet assaut, pourvu que mon seigneur eût été en bonne santé. Maintenant, sois généreux et courtois, et renonce par générosité, au combat que tu as engagé. Ta gloire n'aurait rien à gagner si tu avais tué ou fait prisonnier un chevalier qui n'a pas la force de se relever : tu peux le voir, car il a reçu tant de coups, qu'il est tout couvert de blessures. » Guivret répond : « Dame, ne craignez rien, je vois bien que vous aimez loyalement votre seigneur et je vous en loue. Vous n'avez à vous méfier, ni peu ni prou, de moi et de ma compagnie. Mais dites-moi, ne me le cachez point, comment se nomme votre seigneur : vous n'aurez qu'à y gagner. Quel qu'il soit, dites-le moi, et il s'en ira quitte, en toute sécurité; vous n'avez lieu de craindre, ni vous, ni lui, car vous êtes tous les deux en sûreté. » Quand Enide entend ces assurances, elle lui répond d'un mot : « Il se nomme Erec, je ne dois pas mentir, car je vous vois bienveillant et généreux. »

Guivret descend de son cheval, tout joyeux, et se jette aux pieds d'Erec qui gisait encore sur le sol : « Sire, fait-il, j'allais en droite ligne à Limors à votre recherche, mais je croyais vous y trouver mort. On m'avait raconté et donné pour vrai que le comte Oringle avait fait porter à Limors un chevalier, mort en combattant, et qu'il voulait injustement épouser une dame qu'il avait trouvée auprès de lui, mais qui n'avait cure d'un tel mariage. Et je venais pour la secourir dans sa grande détresse, et pour la délivrer : si le comte avait refusé de me livrer sans débat la dame et votre corps, je ne lui aurais pas laissé un seul pied de terre, ou je me serais tenu pour un homme de rien. Sachez que je ne me serais pas engagé dans cette entreprise si je ne vous avais beaucoup aimé. Je suis Guivret, votre ami. Si je vous ai fait souffrir, c'est que je ne vous avais pas reconnu : vous devez bien me le pardonner. »

A ces mots, Erec se lève sur son séant, car il ne pouvait faire davantage, et il dit :

« Ami, relevez-vous et soyez pardonné, puisque vous ne m'aviez pas reconnu. » Guivret se lève; Erec lui apprend comment il avait tué le comte, alors qu'il était assis à table, comment il avait recouvré son destrier devant une étable, comment chevaliers et sergents avaient déguerpi en criant : « Fuyez ! fuyez ! le mort nous chasse ! », comment il aurait pu être pris comme dans une trappe et comment il s'était échappé. Guivret lui dit à son tour : « Sire, j'ai près d'ici un château qui est bien assis et dans un beau site. Je veux vous y conduire demain pour votre commodité et votre profit : nous y ferons soigner vos blessures, car j'ai deux sœurs, gentilles et gaies, qui savent fort bien guérir les plaies. Elles auront tôt fait de vous rendre la santé. Cette nuit, notre troupe prendra ses logements jusqu'au matin au milieu de ces champs. Un peu de repos durant cette nuit vous fera grand bien, je pense : nous logerons ici si vous voulez m'en croire. » Erec répond : « Je suis de cet avis. »

Ils demeurèrent et prirent leurs quartiers en cet endroit. Ce ne fut pas une petite affaire que d'installer les logis, car on avait du mal à trouver de quoi abriter tant de gens; ils disposent leurs logements parmi les haies. Guivret fait tendre son pavillon et commande d'enflammer une mèche pour donner de la clarté ; il fait tirer les cierges du coffre et les allume sous la tente. Enide maintenant n'est plus triste, car les choses avaient bien tourné pour elle. Elle désarme et déshabille son seigneur, lave ses blessures, les essuie et refait les pansements : elle ne laisse personne d'autre y toucher. Maintenant aussi Erec n'a plus rien à lui reprocher, car il l'a bien mise à l'épreuve et n'a trouvé en elle que grand amour pour lui.

Guivret, pour sa part, choyait fort Erec. Avec des courtepointes qu'il avait, il fit faire un lit haut et long, car les herbes et les joncs ne manquaient pas : on y couche Erec et on le couvre. Puis on ouvre un coffre et Guivret en fait tirer trois pâtés : « Ami, fait-il, tâtez-moi un peu maintenant de ces pâtés froids. Vous boirez du vin coupé d'eau : j'en ai du bon, sept barils pleins, mais le vin pur ne vous serait pas profitable, vous avez trop de blessures. Beau doux ami, essayez donc de manger, cela vous fera du bien ; et ma dame, votre femme, mangera aussi, car elle est passée aujourd'hui par bien des transes à votre sujet; mais vous vous en êtes bien tirés. Vous voici hors de péril : mangez donc, beaux amis, et je mangerai avec vous. » A côté de Guivret vient s'asseoir Erec, puis Enide, à qui plaisait fort tout ce que faisait Guivret ; tous les deux engagent Erec à manger, ils lui donnent à boire du vin et de l'eau, le vin pur étant trop fort pour lui. Erec mangea autant que peut le faire un malade et but fort peu, parce qu'il n'osa pas ; mais il reposa en grande tranquillité et dormit toute la nuit, car on ne faisait autour de lui aucun bruit. Au petit matin, ils s'éveillèrent et se préparèrent tous à monter à cheval et à chevaucher. Erec tenait fort à son cheval et ne se souciait pas d'en monter un autre. A Enide, on donna une mule, puisqu'elle avait perdu son palefroi, mais elle n'eut pas à s'en repentir et ne parut pas même s'en apercevoir, car c'était une belle mule qui marchait bien l'amble et la portait aisément. Ce lui fut un grand réconfort qu'Erec ne se troublait de rien, mais déclarait qu'il guérirait bien.

A Pointurie, un château puissant, dans un site merveilleux, ils arrivèrent le jour même avant l'heure de tierce. C'est là qu'habitaient à demeure les deux sœurs de Guivret, tant le lieu était plaisant. Dans une chambre agréable, loin de tout bruit et au grand air, Guivret a conduit Erec ; ses sœurs, qu'il en a priées, mettent tous leurs soins à le guérir. Erec s'en remit à elles de sa guérison, car elles lui inspiraient une pleine confiance. D'abord, elles enlevèrent la chair morte, puis elles y mirent du baume et une bande de pansement. Elles s'entendaient très bien à le soigner : en femmes de grande expérience, elles lavaient souvent les plaies et y remettaient de l'onguent, quatre fois par jour ou davantage. Elles le faisaient manger et boire, mais elles ne lui permettaient ni ail ni poivre. Les uns pouvaient entrer et les autres sortir : Enide, à qui la santé de son mari tenait le plus à cœur, était sans cesse en sa présence. Guivret venait souvent le voir pour s'informer s'il ne manquait de rien. Il était bien gardé et bien servi : on ne lui donnait pas à contre-cœur les soins qu'exigeait son état, mais joyeusement et de bon gré.

Les jeunes filles se donnèrent beaucoup de peine pour le guérir ; avant une quinzaine, il ne sentait plus ni mal ni douleur. Alors, pour lui rendre ses couleurs, elles se mirent à lui donner des bains : elles n'avaient rien à apprendre sur ce chapitre, car elles s'en acquittaient à la perfection. Quand il put aller et venir, Guivret fit faire deux robes, l'une doublée d'hermine, l'autre de petit vair : elles étaient de deux étoffes de soie différentes. L'une était en osterin pers, l'autre en bofu rayé, qu'une sienne cousine lui avait envoyé d'Ecosse comme présent. Enide reçut la robe d'osterin précieux doublé d'hermine, Erec eut le vêtement de bofu doublé de vair, qui n'était pas de moindre valeur.

Maintenant, Erec était fort et plein de santé ; il était guéri et complètement rétabli.

Maintenant aussi Enide était toute joyeuse, elle avait retrouvé sa gaîté et son plaisir. Ils couchent dans le même lit, ils s'embrassent et se baisent l'un l'autre, et il n'y a chose au monde qui leur plaise davantage. Ils ont tellement eu de malheur et de contrariété, lui pour elle et elle pour lui, qu'ils ont accompli leur pénitence. C'est à qui s'ingéniera à faire à l'autre le plus de plaisir : du surplus, il convient que je me taise.

Désormais, ils ont oublié leur souffrance et affermi leur grand amour, si bien qu'ils se souviennent à peine de leurs épreuves. Aussi souhaitent-ils de repartir : ils demandent congé à Guivret, en qui ils avaient trouvé un grand ami, qui les avait servis et honorés de toutes les manières possibles. Erec lui dit en prenant congé : « Sire, je ne peux plus tarder à m'en retourner dans ma terre. Faites chercher et préparer tout ce qui m'est nécessaire : je partirai demain matin au point du jour. J'ai séjourné chez vous assez longtemps pour me sentir maintenant fort et dispos. Plaise à Dieu qu'il me laisse vivre assez pour que je puisse vous rencontrer et que j'aie le pouvoir de vous servir et honorer ! Je ne pense pas m'attarder nulle part, à moins que je ne sois pris ou retenu, tant que je ne serai pas arrivé à la cour du roi Arthur, que je veux voir, à Quarrois ou à Carduel. » Guivret répond aussitôt : « Sire, vous n'irez pas seul, car je partirai avec vous, et nous emmènerons aussi des compagnons, si la chose vous agrée. » Erec accepte cette proposition et déclare qu'il veut se mettre en route en l'équipage qui plaira à Guivret. Il fait préparer le voyage pendant la nuit, ne voulant pas tarder davantage : tous s'habillent et s'équipent. Au petit matin, dès le réveil, les chevaux sont sellés. Erec va dans la chambre des jeunes filles pour prendre congé d'elles avant de s'en aller et Enide y accourt après lui, toute joyeuse de voir achevés les préparatifs du voyage. Ils prennent congé des jeunes filles. Erec, qui savait les bonnes manières, les remercie, en prenant congé, de lui avoir rendu la santé et la vie, et il leur promet d'être tout à leur service. Puis il prend l'une d'elles par la main, celle qui était la plus proche de lui ; Enide prit l'autre de même, et ils sortirent ensemble de la chambre, en se tenant par la main, pour monter au palais.

Guivret les invite à monter à cheval sans délai. Enide est si impatiente qu'il lui semble que l'heure n'arrivera jamais de se mettre en selle. On lui a amené dehors, devant le perron, un palefroi de grand prix, doux à l'amble, racé et élégant. Ce palefroi était bel et bon : il ne valait pas moins que celui qui était resté à Limors. L'autre était [pommelé], et celui-ci est alezan, mais sa tête est toute différente.

Les couleurs y sont réparties de telle sorte que l'une des joues est toute blanche et l'autre noire comme une chouette; entre les deux, il y a une raie plus verte qu'une feuille de vigne, qui sépare le blanc du noir. Je puis vous dire en vérité, au sujet du lorain, du poitrail et de la selle, que la façon en était belle et bonne : le poitrail et le lorain étaient tout garnis d'émeraudes. La selle était d'autre manière : elle était couverte d'une pourpre de grand prix. Les arçons étaient d'ivoire ; on y avait gravé l'histoire d'Eneas : comment il vint de Troie, comment Didon le reçut à grand joie dans sa ville de Carthage, comment Eneas la trompa, comment elle se donna la mort pour lui, comment Eneas conquit ensuite Laurente et toute la Lombardie dont il fut roi toute sa vie. L'œuvre était délicate et bien gravée, toute revêtue d'or fin. Le sculpteur breton qui l'avait faite avait, à la tailler, mis plus de sept années, durant lesquelles il n'avait travaillé à rien d'autre. Je ne sais pas s'il la vendit, mais il dut en tirer grand prix.

Enide était bien dédommagée de la perte de son palefroi, dès lors qu'on lui faisait hommage de celui-ci. Ce palefroi si richement harnaché lui fut remis, et elle monta dessus gaîment; à sa suite montèrent au plus vite les seigneurs et les écuyers. Pour leur plaisir et leur distraction, Guivret avait fait apporter en grand nombre, des faucons et des éperviers, des autours sors et gruiers, des brachets et des lévriers.

Ils chevauchèrent depuis le matin jusqu'au soir, en suivant le droit chemin, plus de trente lieues galloises. Finalement, ils arrivèrent devant les bretèches d'une ville forte, puissante et belle, close tout à l'entour d'une muraille neuve ; à ses pieds coulait, en décrivant un cercle, un cours d'eau profond, rapide et bruyant comme une tempête. Erec s'arrêta pour le regarder ; il demanda si on pouvait lui dire exactement qui était le seigneur de cette ville : « Ami, dit-il à son bon compagnon, sauriez-vous me dire quel est le nom de ce château et à qui il est ? Puisque vous m'avez amené ici, dites-le moi, si vous le savez. — Sire, répond Guivret, je le sais fort bien et je vous dirai la vérité : le château se nomme Brandigan, et il est si bon, si beau, qu'il ne redoute ni roi ni empereur. Si les gens de France et de tout le royaume, et tous ceux qui sont d'ici à Liège l'entouraient pour l'assiéger, ils ne le prendraient en toute leur vie. Car l'île où est bâti ce château s'étend sur plus de quinze lieues, et dans son enceinte croît tout ce qui convient à une puissante place forte. On y récolte fruits, blé, vin ; il n'y manque ni bois ni rivière. Cette place ne craint assaut de nulle part : impossible de l'affamer. Elle a été fortifiée par le roi Evrain, qui l'a tenue en franchise tous les jours de sa vie et la tiendra tant qu'il vivra. S'il l'a fait clore de murs, ce n'est pas qu'il redoutât qui que ce fût, mais parce que la ville en est plus belle. N'y eût-il ni mur ni tour, mais seulement le cours d'eau qui l'environne, la ville est assez forte et assez sûre pour ne redouter homme au monde.

— Dieu, fait Erec, quelle puissance ! Allons voir la forteresse et faisons prendre nos logis dans le bourg, car c'est là que je veux descendre. — Sire, fait Guivret, qui en était fort contrarié, si cela ne vous ennuyait pas, nous éviterions d'y descendre : il y a un très mauvais passage en cette ville. — Mauvais ? reprend Erec, le connaissez-vous ? Quel qu'il soit, dites-le nous, car je l'apprendrais volontiers. — Sire, fait-il, j'aurais peur que vous n'y éprouviez grand dommage. Vous avez au cœur, je le sais, tant de hardiesse et de générosité que si je vous avais conté ce que je connais de l'aventure, qui est très âpre et périlleuse, vous voudriez y aller. J'ai souvent entendu raconter que, depuis sept ans passés ou plus, nul n'est revenu de cette ville, de ceux qui allèrent y tenter l'aventure ; pourtant, de mainte terre y sont venus des chevaliers fiers et courageux. Sire, ne prenez pas cela pour une plaisanterie. Jamais par moi vous n'en saurez rien, avant de m'avoir donné votre foi, par l'amour que vous m'avez promis, de ne pas tenter l'aventure dont nul ne peut se tirer sans subir la honte et la mort. »

Maintenant Erec tient ce qui lui convient. Il prie Guivret de ne pas s'en chagriner et lui dit : « Ah ! beau doux sire, souffrez que nous ayons notre hôtel dans la ville, si cela ne vous ennuie pas. Il est temps, sans plus attendre, d'y prendre nos logis ; je ne veux pas que cela vous cause de la peine, car si j'y gagne quelque nouvel honneur, cela devrait vous être très agréable. Quant à l'aventure, je vous adjure seulement de m'en dire le nom et je vous tiens quitte du surplus. — Sire, fait-il, je ne puis me taire : il me faut dire ce qu'il vous plaît de savoir. Le nom de l'aventure est très beau à prononcer, mais elle est très difficile à accomplir, car nul n'en peut échapper vivant. Elle se nomme, je vous le garantis : *la Joie de la Cour*. — Dieu, fait Erec, dans la Joie il n'y a rien que de bon, et c'est elle que je cherche. N'allez pas me désespérer, bel ami, ni pour cela ni pour autre chose, mais faisons prendre nos logis, car grand bien nous en peut advenir. Rien ne pourrait me retenir d'aller à la recherche de la Joie. — Sire, fait-il, Dieu vous entende ! Puissiez-vous y trouver la Joie et vous en retourner sans encombre ! Je vois bien qu'il vous convient d'y aller. Puisqu'il n'en peut être autrement, allons ! notre hôtel y est pris, car nul chevalier de haut prix, d'après ce que j'ai entendu dire et raconter, ne peut entrer dans cette ville forte en vue d'y prendre gîte sans que le roi Evrain ne l'y accueille. Ce roi est si courtois et généreux qu'il a fait, par un ban, défense à ses bourgeois, s'ils tiennent à leur propre personne, de donner hôtel en leur maison à nul prud'homme venu du dehors, afin que lui-même puisse faire honneur à tous les prud'hommes qui voudront demeurer céans. »

Alors ils se dirigent vers la ville forte, passent les lices et le pont. Une fois les lices franchies, les gens qui sont assemblés le long de la rue en grands attroupements, voyant Erec si beau, pensent et croient, d'après les apparences, que tous les autres sont ses hommes. Tous le regardent avec admiration ; toute la ville s'agite et s'emplit de rumeurs, tant ils en parlent et conversent. Même les pucelles qui font des rondes laissent leur chant et le remettent à plus tard. Toutes ensemble, elles regardent Erec et se signent à la vue de sa grande beauté ; pleines d'admiration, elles le plaignent. « Mon Dieu, dit l'une à l'autre, quelle tristesse ! Ce chevalier qui passe par ici vient à la Joie de la Cour. Il en sera dolent avant de s'en retourner ! Jamais nul ne vint d'autre terre requérir la Joie de la Cour sans y trouver honte et dommage et y laisser sa tête en gage. » Ensuite, de telle sorte qu'il les entende, elles disent à haute voix : « Dieu te défende de mésaventure, chevalier, car tu es d'une beauté sans mesure et ta beauté est bien à plaindre ! Demain nous la verrons s'éteindre : ta mort est fixée à demain, demain tu mourras sans retard, si Dieu ne te garde et te défend. »

Erec entend bien et comprend ce que l'on dit de lui par la ville. Ils sont plus de sept mille à le plaindre, mais rien ne peut le troubler. Il passe outre, sans s'attarder, saluant de bonne grâce, tous et toutes à la fois ; et tous et toutes le saluent. Il y en a plusieurs qui ont une sueur d'angoisse, parce qu'ils redoutent, plus qu'il ne le fait lui-même, ou sa mort, ou son déshonneur. La seule vue de son attitude, sa grande beauté et son visage lui ont si bien gagné les cœurs, que tous craignent pour lui un malheur, chevaliers, dames et pucelles.

Le roi Evrain a appris la nouvelle que venaient à sa cour des gens qui menaient grand train, et leur maître, d'après son équipement, semblait bien être comte ou roi. Le roi Evrain vint en pleine rue à leur rencontre et les salua en ces termes : « Bienvenus soit cette compagnie, son seigneur et tous ses gens ! Soyez les bienvenus, fait-il, et descendez de cheval. » Ils ont mis pied à terre ; il ne manquait pas de gens pour tenir et emmener leurs chevaux. Le roi Evrain ne fut pas embarrassé quand il vit venir Enide : il la salua aussitôt et courut l'aider à descendre. Par la main, qu'elle avait belle et douce, il la conduisit dans son palais, en haut, comme la courtoisie l'y engageait. Il l'honora de toutes manières, autant qu'il le put, car il s'y entendait bel et bien, mais sans penser à mal ni à folie. Il avait fait brûler dans une chambre de l'encens, de la myrrhe et de l'aloès : en y entrant, tous ont loué les belles manières du roi Evrain. Les hôtes pénétrèrent dans la chambre en se tenant par la main, comme les tenait le roi qui les conduisait et, pour eux, menait grand joie.

Mais pourquoi vous détaillerais-je la broderie des tentures de soie dont la chambre était ornée ? J'y perdrais mon temps à des futilités et je ne veux pas faire non plus une description hâtive ; je veux plutôt me hâter un peu, car qui suit alertement la route directe prend de l'avance sur celui qui emprunte un chemin détourné : c'est pourquoi je ne veux pas m'y arrêter.

Le roi commanda d'apprêter le souper lorsqu'il en fut temps et heure. Je ne veux pas m'attarder ici si je puis trouver un chemin plus court. Tout ce que le cœur et la bouche peuvent désirer, ils l'eurent en abondance cette nuit-là : de la venaison, du fruit et du vin de divers crûs, mais par-dessus tout, un bel accueil ; car de tous les mets, le plus agréable est un bel accueil et un beau visage. Ils furent servis très joyeusement jusqu'au moment où Erec laissa soudain le manger et le boire et se mit à faire mention de ce qui lui tenait le plus à cœur : il lui souvenait de la Joie, aussi amena-t-il l'entretien sur ce sujet, et le roi Evrain s'y prêta volontiers.

« Sire, fait Erec, il est bien temps maintenant que je vous dise ma pensée et pourquoi je suis venu ici. J'ai trop tardé à vous le dire; je ne puis vous le cacher plus longtemps. Je demande *la Joie de la Cour,* il n'est rien que je désire autant. Donnez-la moi, quelle qu'elle soit, si vous en avez le pouvoir. — Certes, fait le roi, bel ami, je vous entends parler bien légèrement. C'est une chose très douloureuse, car elle a rendu dolent maint prud'homme. Vous-même, en fin de compte, y trouverez la mort et serez mis à mal, si vous ne voulez croire mon conseil. Mais si vous vouliez bien me croire, je vous conseillerais de renoncer à demander une chose si pénible, dont vous ne pourriez jamais venir à bout ; n'en parlez plus, taisez-vous. Vous ne montreriez guère de sens si vous ne suiviez mon conseil. Je ne m'étonne nullement que vous cherchiez honneur et renom ; mais si je vous voyais prisonnier ou blessé en votre corps, j'en aurais le cœur bien marri. Sachez-le bien : j'ai vu et reçu maints prud'hommes qui ont demandé cette Joie : jamais ils n'en ont tiré nul avantage, mais tous y ont trouvé leur mort et leur perte. Demain, avant que le soir tombe, vous pouvez attendre pour vous un sort semblable si vous persistez à tenter la Joie, car vous arriverez à vos fins, mais cela vous coûtera cher. C'est une entreprise dont il vous convient de vous repentir et de vous retirer si vous voulez agir dans votre intérêt. Je vous parle ainsi, car ce serait de ma part trahison et mauvais procédé de ne pas vous dire toute la vérité. »

Erec l'entend et reconnaît que le roi le conseille à bon droit. Mais plus grande est la merveille et plus pénible est l'aventure, plus il la convoite, plus il s'en met en peine. Il dit : « Sire, je puis vous dire que je vous trouve prud'homme et loyal. Je ne puis vous adresser aucun reproche à propos de l'entreprise que je tente, quoi qu'il en advienne désormais. Que la question soit donc ainsi tranchée, car jamais je ne serai assez recréant pour renoncer à une chose que j'ai entreprise, sans avoir fait tout mon possible avant d'abandonner la partie. — Je le savais bien, fait le roi. Vous l'aurez contre mon gré, la Joie que vous requérez, mais j'en suis au désespoir et je crains fort que cela ne tourne mal pour vous. Vous avez désormais ma parole que vous obtiendrez tout ce que vous convoitez : si vous vous en tirez avec joie, vous aurez conquis un tel honneur que jamais homme n'en conquit de plus grand. Que Dieu vous donne, comme je le désire, d'en sortir avec joie ! »

Ils en parlèrent toute la nuit, jusqu'au moment où ils allèrent se coucher, quand les lits furent faits. Au matin, dès qu'il fit jour, Erec, à son réveil, vit l'aube claire et le soleil ; il se leva aussitôt et s'apprêta. Enide en conçut beaucoup de souci, elle en fut très triste et contrariée. Elle fut tourmentée durant la nuit par l'inquiétude et la peur, en songeant que son mari voulait s'exposer à un tel péril. Celui-ci cependant se préparait, et nul ne put l'en détourner.

Le roi, pour son équipement, lui envoya, dès qu'il fut levé, des armes dont il fit fort bon usage. Erec ne les a pas refusées, car les siennes étaient usagées, endommagées et en mauvais état ; il prend volontiers les armes et s'en fait armer dans la salle. Quand il fut armé et qu'il eut descendu les marches jusqu'en bas, il trouva son cheval tout sellé et le roi qui était déjà en selle. Chacun s'apprête à monter à cheval, à la cour et dans les hôtels ; dans la ville, il n'est personne qui ne s'y rende de ceux qui peuvent y aller. Quand ils se mettent en mouvement, il se fait par toutes les rues grand tapage et grande rumeur, car tous, grands personnages et petites gens, disent : « Haï ! Haï ! chevalier, la Joie t'a trahi, celle que tu penses conquérir, mais c'est ta mort et ton malheur que tu vas chercher. » Pas un seul qui ne dise : « Cette Joie, que Dieu la maudisse, puisqu'elle a fait mourir tant de prud'hommes ! Aujourd'hui sans doute, elle fera pis que jamais. »

Erec entend, et il écoute les propos qui reviennent le plus souvent. Tous disaient : « Tu y fus pour ton malheur, beau chevalier, noble et de belle tenue ! Il ne serait certes pas juste que ta vie fût si tôt achevée, ni qu'il t'advînt désagrément, comme d'être blessé ou mis à mal. » Il entend bien ces paroles et ces propos. mais toutefois il passe outre ; il ne tient pas la tête basse et n'a pas l'allure d'un couard. Quoi qu'on en dise. il lui tarde de voir, de savoir, de connaître ce qui les met en telle angoisse, en tel effroi et en telle peine.

Le roi l'emmène hors de la ville, dans un verger tout proche, et toute la foule vient après eux, en priant pour que, de cette épreuve, Dieu lui accorde de se tirer avec joie. Mais je ne dois pas omettre, même si je dois fatiguer et surmener ma langue, de vous rapporter, au sujet de ce verger, une chose vraie selon l'histoire.

Le verger n'était environné ni de mur, ni de palissade, mais seulement d'air. C'était de l'air qui, par magie, servait de clôture au jardin de toutes parts, si bien que rien n'y pouvait pénétrer, si ce n'est par une entrée unique, comme s'il eût été clos de fer. Tout l'été et tout l'hiver, il y avait des fleurs et des fruits mûrs. Les fruits étaient soumis à un enchantement tel qu'ils se laissaient manger à l'intérieur du jardin, mais qu'ils ne se laissaient pas emporter dehors : celui qui aurait voulu en emporter un n'aurait jamais su comment s'en retourner, car il n'aurait pu trouver l'issue avant d'avoir remis le fruit à sa place. Parmi les oiseaux qui volent sous le ciel et qui par leurs chants charment l'homme pour le divertir et le réjouir, il n'en était aucun que l'on ne pût entendre ici, et plusieurs de chaque espèce. La terre, aussi loin qu'elle s'étend, ne porte épice ni plante médicinale, efficace pour quelque traitement, qui ne fût plantée en ce jardin ; et il y en avait en abondance.

C'est là, par une étroite entrée, que la foule s'est introduite, le roi d'abord et tous les autres ensuite. Erec s'avançait, lance sur feutre, chevauchant au milieu du verger, tout au plaisir d'écouter le chant des oiseaux qui s'y faisaient entendre et qui lui donnaient un avant-goût de la Joie, la chose à laquelle il aspirait le plus. Mais il voit une grande merveille qui eût pu faire grand peur au combattant le plus fameux, fût-il Thibaut l'Esclavon ou quelqu'un de ceux que nous connaissons : Ospinel ou Fernagu. Devant eux, sur des pieux aiguisés, il y avait des heaumes luisants et clairs. Erec voit, sous le cercle de métal qui les bordait, apparaître sous chacun d'eux une tête ; à l'extrémité de cette rangée de pieux, il en voit un qui ne portait rien encore, si ce n'est un cor. Il ne sait ce que cela signifie, mais n'en est nullement troublé ; il demande au roi, qui est près de lui, à sa droite, ce que cela peut bien être. Le roi le lui dit et lui raconte : « Ami, savez-vous ce que signifie la chose que vous voyez ici ? Vous en seriez fort effrayé si vous teniez à votre vie, car ce pieu, qui se dresse seul à l'écart des autres et auquel vous voyez le cor suspendu, attend depuis bien longtemps un chevalier ; nous ne savons lequel, si c'est vous ou un autre. Prenez garde que votre tête n'y soit mise, car le pieu est planté dans ce dessein. Je vous en avais bien averti avant que vous ne veniez ici. Je ne pense pas que jamais vous en sortiez, si ce n'est mort et taillé en pièces. Maintenant, vous savez au moins ceci que le pieu attend votre tête ; et s'il advient qu'elle y soit fichée, comme c'est chose prévue depuis que ce pieu a été mis là et dressé, un autre pieu sera planté à la suite, qui attendra à son tour, jusqu'à la venue d'un autre, on ne sait qui. Du cor je ne vous dirai pas davantage, sinon que jamais personne ne put en sonner ; mais celui qui le pourra surpassera, par son renom et sa gloire, tous ceux de ma contrée. Cela lui vaudra tant de prestige que tous viendront l'honorer et le tiendront pour le meilleur d'entre eux. Maintenant, il n'y a plus rien à dire à ce sujet ; ordonnez à vos gens de se retirer, car la Joie viendra bientôt et vous fera dolent, je pense. »

Alors le roi Evrain le laisse. Erec se penche vers Enide qui, à ses côtés, menait grand deuil, et pourtant elle se taisait, car la douleur qu'exprime la bouche ne sert de rien si elle ne touche le cœur. Erec, qui connaissait bien ses sentiments, lui dit : « Belle douce sœur, noble dame loyale et sage, je connais bien le fond de votre cœur ; vous avez grand peur, je le vois bien, mais vous ne savez encore de quoi. Vous vous inquiétez sans raison tant que vous n'aurez pas vu mon écu mis en pièces et moi blessé dans mon corps, les mailles de mon haubert blanc couvertes de mon sang, mon heaume rompu et brisé, et moi recréant et à bout de forces, en sorte que je ne pourrai plus me défendre, mais qu'il me faudra, contre mon gré, attendre et demander merci. C'est alors que vous pourrez mener votre deuil, mais vous l'avez commencé trop tôt. Douce dame, vous ne savez encore ce qui va arriver, ni moi non plus : vous êtes en émoi pour néant. Mais soyez bien certaine que s'il n'y avait en moi de prouesse que ce que me donne votre amour, je ne craindrais en bataille, corps à corps, nul homme vivant. Certes, j'agis follement en m'en vantant, mais je ne dis pas cela par orgueil : je veux seulement vous réconforter. Reprenez courage et laissez faire. Je ne puis m'attarder ici davantage, et vous n'irez pas plus loin avec moi, car je ne dois pas vous emmener plus avant, ainsi que le roi l'a commandé. » Alors il la baise et la recommande à Dieu, et elle le recommande de même à Dieu. C'est pour elle un grand chagrin de ne pas le suivre ni l'accompagner jusqu'à ce qu'elle sache et voie ce que sera l'aventure et comment il s'en tirera. Mais il lui faut demeurer : elle ne peut le suivre plus avant, et elle demeure triste et dolente.

Lui s'en alla le long d'un sentier, tout seul, sans compagnie, tant qu'il aperçut un lit d'argent couvert d'un drap brodé d'or, à l'ombre d'un sycomore, et sur le lit, une pucelle, gracieuse de corps et belle de visage, unissant en elle tous les genres de beauté. Elle était assise là, toute seule. Je ne veux pas la décrire plus longuement, mais celui qui aurait bien su observer sa parure et sa beauté aurait pu dire en toute vérité que jamais Lavinie de Laurente, qui fut pourtant si belle et si gracieuse, n'eut le quart de toutes ses beautés. Erec s'approche de ce côté, voulant la voir de plus près, et il va s'asseoir à côté d'elle. Mais voici venir un chevalier, sous les arbres, à travers le verger : vêtu d'une armure vermeille, il était d'une grandeur démesurée et, s'il n'eût été si fâcheusement grand, on n'aurait, sous le ciel, trouvé d'homme plus beau que lui. Or il était plus haut d'un pied, au témoignage de tous les gens, que les plus grands chevaliers que l'on connût.

Avant qu'Erec eût pu l'apercevoir, il s'écria : « Vassal, vassal, vous êtes fou, par mon salut, d'aller auprès de ma demoiselle ! Vous n'êtes pas assez valeureux, à mon sens, pour vous permettre de l'approcher. Aujourd'hui même, vous paierez très cher votre folie, par ma tête. Retirez-vous. » Puis il s'arrêta et le regarda, mais l'autre lui fit face et aucun des deux ne fit un pas vers l'autre jusqu'à ce qu'Erec lui eût répondu tout ce qu'il lui plût de dire : « Ami, fait-il, on a aussi vite fait de dire folie que sagesse. Menacez tant qu'il vous plaira, je suis homme à me taire, car il n'y a nulle sagesse à menacer. Savez-vous pourquoi ? Tel pense avoir gagné la partie qui la perd ensuite ; c'est pourquoi celui-là est fou, de toute évidence, qui trop se croit et trop menace. S'il y a quelqu'un pour fuir, il n'en manque pas pour lui donner la chasse ; mais je ne vous redoute pas au point de m'enfuir avant de combattre ! Maintenant, je suis prêt à me défendre, s'il est quelqu'un qui veuille me livrer bataille, en sorte que je sois contraint de le faire et que je ne puisse m'en tirer autrement. — Nennil, fait-il, si Dieu me sauve, sachez que l'occasion de vous battre ne vous manquera pas, car je vous requiers et défie. »

Il est une chose que vous devez savoir en toute certitude : c'est que, dès lors, ils ne retinrent plus leurs rênes ; ils n'avaient pas des lances menues, mais grosses et bien lissées, et comme le bois en était bien sec, elles n'en étaient que plus roides et plus robustes. Sur leurs écus, tous deux ensemble, ils frappent de leurs fers tranchants avec une telle vigueur que chaque fer s'enfonce dans l'écu luisant de la longueur d'une toise; mais ni l'un ni l'autre n'est atteint dans sa chair et il n'y eut pas de lance brisée. Chacun, dès qu'il le peut, retire sa lance à soi : ils se jettent l'un sur l'autre et reprennent la joute selon les règles. L'un joute contre l'autre, et ils se frappent avec une telle âpreté que leurs chevaux s'écroulent sous eux. Eux, qui sont assis sur les selles, ne s'en tiennent pas pour empêchés : prestement, ils se relèvent, car ils sont vaillants et agiles. A pied, au milieu du verger, ils s'affrontent sans délai avec leurs bonnes lames d'acier viennois et se portent des coups si forts et si âpres, sur leurs écus clairs et luisants, qu'ils les mettent tout en quartiers ; leurs yeux en sont étincelants. Ils ne peuvent prendre plus de peine pour se mettre à mal et se tourmenter qu'ils ne le font, durement et laborieusement. Tous deux se livrent de farouches assauts, du plat de leurs épées et du tranchant. Ils se sont tant martelé les dents, les joues et les narines, les poings, les bras et plus encore les tempes, la nuque et le cou, que tous les os leur font mal. Ils souffrent beaucoup et sont très las ; et pourtant ils ne sont pas recréants, mais ils redoublent leurs efforts. La sueur leur trouble la vue et se mêle au sang qui dégoutte, si bien que peu s'en faut qu'ils ne soient aveuglés. Bien souvent leurs coups se perdent comme ceux d'homme qui n'y voient pas assez pour bien diriger leurs épées. Ils ne peuvent plus guère se nuire l'un à l'autre, et pourtant ne doutez nullement qu'ils n'y emploient toutes leurs forces. Comme leurs yeux se brouillent au point qu'ils ne voient plus rien, ils laissent choir leurs écus et s'empoignent avec rage.

Ils se secouent et se tirent l'un l'autre si violemment qu'ils tombent sur les genoux ; c'est en cette posture qu'ils combattent longtemps, jusqu'après l'heure de none. Alors le grand chevalier est à bout de forces et le souffle lui manque. Erec le mène à sa guise, il le secoue et le tire si bien qu'il met en pièces tous les lacets de son heaume et qu'il l'incline à ses pieds. L'autre tombe sur la poitrine, face contre terre, et n'a pas la force de se relever ; quoi qu'il puisse lui en coûter, il est bien obligé de dire et de concéder : « Vous m'avez conquis, je ne puis le nier, et cela me contrarie fort. Et pourtant vous êtes peut-être d'un si haut rang et de tel renom que cette défaite n'aura pour moi rien que d'honorable ; je voudrais donc, je vous en prie, si cela est possible en quelque manière, connaître votre nom, afin d'y trouver quelque réconfort. Si meilleur que moi m'a conquis, j'en serai joyeux, je vous le jure ; mais s'il m'est arrivé d'être surpassé par un adversaire qui ne me vaille pas, je dois en être fort contristé. — Ami, tu veux savoir mon nom, fait Erec, et je te le dirai, je ne partirai pas d'ici sans te l'avoir dit; mais ce sera à la condition que tu me dises dès maintenant. pourquoi tu es dans ce jardin. Je veux savoir le fin mot de l'affaire : quel est ton nom et quelle est *la Joie,* car il me tarde fort de l'entendre. — Sire, fait-il, je vais vous dire la vérité de point en point, sans nulle crainte, tout comme il vous plaira.

Erec ne lui cache pas son nom davantage : « Entendis-tu jamais parler, fait-il, du roi Lac et de son fils Erec ? — Oui, sire, je l'ai bien connu, car je fus longtemps à la cour du roi Lac, avant d'être armé chevalier, et jamais de mon plein gré je ne me serais séparé de lui pour nulle cause. — Donc tu dois bien me connaître, si tu fus avec moi jadis à la cour du roi, mon père ? — Par ma foi, cela m'est donc bien arrivé ! Ecoutez maintenant ce qui m'a retenu si longuement en ce verger. Je veux tout dire, à votre commandement, quoi qu'il m'en coûte. Cette pucelle, qui est assise là, m'a aimé dès sa jeunesse et je l'ai aimée en retour. Nous en étions charmés l'un et l'autre ; cet amour ne fit que croître et embellir, à tel point qu'elle me demanda un don, mais sans me dire lequel. Qui refuserait rien à son amie ? Il n'est pas ami, celui qui ne fait pas sur le champ le bon plaisir de son amie, sans rien négliger et sans s'épargner lui-même, dès lors qu'il peut la satisfaire en quelque façon. Je lui promis de faire sa volonté ; et quand je le lui eus promis, elle exigea de moi un serment. Elle eût voulu plus encore que j'eusse fait davantage, mais elle me crut sur parole. Je lui fis promesse, et je ne sus pas ce que j'avais promis jusqu'à ce que je fusse armé chevalier : le roi Evrain, dont je suis le neveu, m'adouba, en présence de maints prud'hommes, dans ce verger où nous sommes. Ma demoiselle, qui est assise là, me somma aussitôt de tenir ma parole, et déclara que je lui avais juré de ne jamais sortir d'ici jusqu'à ce qu'y vînt un chevalier qui, par les armes, me soumettrait à son pouvoir. La raison voulait que je demeurasse ici plutôt que de manquer à ma promesse, quand bien même je ne l'aurais pas appuyée d'un serment. »

« Dès que je connus et vis le bon plaisir de l'être qui m'était le plus cher, je dus me faire une contenance et ne pas laisser paraître sur mon visage la moindre contrariété ; car, si elle s'en était aperçue, elle aurait repris son cœur devers elle et je n'y aurais consenti à aucun prix, quoi qui me dût advenir. Ainsi ma demoiselle pensait-elle me retenir pour un long séjour ; elle ne croyait pas que dût entrer un jour en ce verger un vassal capable de l'emporter sur moi. C'est pourquoi elle pensait n'avoir point de peine à me tenir en prison avec elle, tous les jours que j'aurais à vivre. »

« De mon côté, j'aurais agi déloyalement si je n'avais pas fait tous mes efforts pour réduire à ma merci tous ceux que j'avais le pouvoir de vaincre ; il y aurait eu de la vilenie à me libérer de la sorte. Je peux bien vous dire et vous confier que, même en face du plus cher de mes amis, je n'aurais rien négligé pour le vaincre ; jamais je ne fus las de porter les armes, ni fatigué de combattre. Vous avez bien vu les heaumes de ceux que j'ai vaincus et tués ; mais la faute ne m'en incombe pas, si l'on veut consulter la raison, car je ne pouvais éviter de le faire si je ne voulais pas être faux, parjure et déloyal. »

« Je vous en ai dit la vérité. Et, sachez-le bien, l'honneur que vous avez remporté n'est pas médiocre. Vous avez mis en grand joie la cour de mon oncle et mes amis, car je vais être tiré hors d'ici. Et parce que tous ceux qui viendront à la cour en concevront une grande joie, ceux qui attendaient cette joie l'avaient appelée *Joie de la Cour*. Ils l'ont attendue si longtemps qu'elle va leur être rendue, pour la première fois, par vous qui l'avez conquise. »

« Vous avez maté comme par un sortilège ma valeur et ma chevalerie ; aussi est-il bien juste que je vous dise mon nom, puisque vous voulez le connaître : on m'appelle Maboagrain, mais je ne suis point connu sous ce nom dans les lieux où l'on m'a vu, sauf en ce pays-ci seulement. Tant que je fus jeune homme, je ne disais jamais mon nom et je ne le connaissais pas. »

« Sire, vous savez la vérité de tout ce que vous m'avez demandé, mais il me reste encore quelque chose à vous dire. Il y a en ce verger un cor, que vous avez bien vu, je pense ; je ne dois pas sortir d'ici tant que vous ne l'aurez pas sonné : alors seulement vous m'aurez tiré de ma prison, et alors commencera la Joie. Quiconque en entendra le son, nul obstacle ne le retiendra, à l'instant où il l'entendra, de venir aussitôt à la cour. Levez-vous d'ici, sire ; allez vite, prenez rapidement le cor, vous n'avez plus rien à attendre ; faites donc ce que vous devez. »

Erec se leva aussitôt et l'autre se leva en même temps que lui : ils s'approchèrent tous deux du cor. Erec le prend et il en sonne ; il souffle de toute sa force, si bien que le son en porte très loin. Enide s'en réjouit grandement; joyeux est le roi et joyeuse sa gent. Il n'y en a pas un seul à qui cette chose n'agrée et ne plaise fort : nul n'a repos ni cesse de se réjouir et de chanter. Ce jour-ci, Erec peut bien se vanter que jamais on ne fit pareille joie : elle ne pourrait être décrite ni racontée par une bouche d'homme, mais je vous en dirai l'essentiel en bref, sans longues paroles.

La nouvelle vola par tout le pays que la chose s'était passée comme j'ai dit. Alors tous, sans aucun délai, s'en vinrent à la cour : de toute part, le peuple accourait à grande allure, qui à pied, qui à cheval, sans s'attendre l'un l'autre. Ceux qui étaient dans le verger s'apprêtaient à désarmer Erec et chantaient tous à l'envi une chanson à propos de la Joie ; les dames composèrent un lai qu'elles appelèrent le *Lai de Joie,* mais ce lai n'est guère connu.

Erec était bien comblé de joie et bien servi selon son désir ; mais la chose n'agréait nullement à celle qui était assise sur le lit d'argent. La joie qu'elle voyait ne lui causait nul plaisir ; mais beaucoup de gens sont obligés de supporter et de regarder ce qui leur fait mal à voir. Enide se comporta en dame très courtoise : parce qu'elle vit la demoiselle pensive et assise seule sur le lit, il lui prit envie d'aller vers elle pour la questionner sur son état et sa vie, et lui demander si elle pouvait lui dire quelque chose de son histoire, pourvu que cela ne lui fût pas trop pénible. Enide pensait y aller seule et n'y emmener personne avec elle ; mais une partie des dames et des pucelles, parmi les plus estimées et les plus belles, la suivirent par amitié ou pour lui tenir compagnie. Elles voulaient aussi réconforter celle à qui *la Joie* était si odieuse, parce qu'il lui semblait que son ami ne demeurerait plus désormais avec elle autant qu'il en avait coutume, dès lors qu'il allait sortir du verger. Quelle que fût celle qui en ressentait du déplaisir, le chevalier ne pouvait faire autrement que d'en sortir, parce que l'heure et le terme étaient venus ; c'est pourquoi les larmes coulaient des yeux de la demoiselle et ruisselaient sur son visage. Elle était dolente et affligée beaucoup plus que je ne vous l'exprime, et pourtant elle s'était levée à l'approche des dames ; mais nulle de celles qui tâchaient de la consoler ne la touchait assez pour qu'elle cessât de se lamenter.

Enide, en dame bien apprise, la salua. L'autre, pendant longtemps, ne put répondre mot, car elle en était empêchée par les soupirs et les sanglots qui la secouaient et altéraient ses traits. Un bon moment après, la demoiselle lui rendit son salut ; quand elle eut regardé et observé Enide assez longtemps, il lui sembla qu'elle l'avait vue et connue autrefois, mais elle n'en était pas très assurée. Elle n'hésita pas à demander à Enide d'où elle était, de quel pays, et d'où son seigneur était natif : elle lui demanda qui ils étaient tous les deux. Enide lui répondit aussitôt et lui conta toute la vérité : « Je suis, dit-elle, la nièce du comte qui tient Laluth en son domaine ; je suis fille de sa sœur. Je suis née et j'ai été élevée à Laluth. »

La demoiselle ne peut alors s'empêcher de sourire : elle se réjouit si fort, avant même d'en entendre davantage, qu'elle ne se soucie plus de son chagrin. Son cœur défaille d'allégresse, elle ne peut cacher sa joie ; elle va baiser Enide, la prend par le cou et lui dit :

« Je suis votre cousine, sachez que c'est pure vérité, et vous êtes la nièce de mon père, car lui et le vôtre sont frères ; mais je pense que vous ne savez pas et n'avez pas entendu dire comment je suis venue en ce pays. Le comte, votre oncle, était en guerre ; alors vinrent à lui, pour se mettre à sa solde, des chevaliers de maintes contrées. C'est ainsi qu'il advint, belle cousine, qu'avec un soudoyer vint le neveu du roi de Brandigan; il demeura près d'un an chez mon père, il y a de cela, je crois, douze ans passés. J'étais encore très jeune et lui était beau et avenant ; c'est là que nous avons fait nos accordailles entre nous deux, comme il nous convint. Jamais je ne voulais rien sans qu'il le voulût aussi, si bien qu'il commença à m'aimer; aussi me jura-t-il et me donna-t-il sa foi d'être toujours mon ami et de m'amener ici : la chose me plut et à lui aussi. Il prolongea son séjour à Laluth, et il m'en tardait de m'en venir ici avec lui ; nous y sommes venus tous les deux, sans que nul ne le sût en dehors de nous. En ce temps-là, vous et moi n'étions que fillettes. Je ne vous ai rien déguisé; dites-moi maintenant à votre tour la vérité, comme je vous l'ai dite, sur votre ami, et par quelle aventure vous êtes à lui.
— Belle cousine, il m'a épousée du consentement de mon père et à la satisfaction de ma mère. Tous nos parents le surent et en

furent heureux, comme ils le devaient. Le comte lui-même en fut joyeux, car mon seigneur est si bon chevalier qu'on n'en pourrait trouver de meilleur, et il n'en est plus à faire la preuve de sa vaillance et de sa prouesse : on n'en connaît pas qui l'égale parmi ceux de son âge, et je ne crois pas qu'il ait son pareil. Il m'aime beaucoup et moi je l'aime plus encore, si bien qu'on ne peut concevoir plus grand amour. Jamais encore je n'ai su modérer la force de mon amour, et je ne dois pas le faire. En vérité, mon seigneur est fils de roi, et pourtant il m'a prise pauvre et dénudée ; je lui suis redevable d'une grandeur telle que nulle déshéritée n'en obtint jamais. Et, s'il vous plaît, je vous dirai, sans mentir en rien, comment je suis parvenue à une telle élévation ; jamais je ne me lasserai de le dire. » Alors elle lui apprit et lui conta comment Erec vint à Laluth, car elle n'avait cure de le lui cacher. Elle lui narra bien l'aventure, mot à mot, sans en rien omettre ; mais je m'abstiens de vous la conter à nouveau, parce que celui-là allonge son récit de façon ennuyeuse qui conte deux fois la même chose.

Tandis qu'elles parlent ensemble, une dame s'éloigne toute seule et s'en va conter la chose aux barons pour faire croître et exalter la Joie. A cette Joie prirent part ensemble ceux qui entendirent cette dame; et quand Maboagrain le sut, il en éprouva une joie plus grande que tous les autres. Son amie se console : la nouvelle qu'en grande hâte lui apporte la dame l'a rendu soudain tout joyeux. Le roi lui-même fut en liesse; et s'il montrait grand joie auparavant, il en montra dès lors une plus vive,

Enide vient à son seigneur en amenant avec elle sa cousine, plus belle que n'était Hélène, plus gracieuse et plus avenante. A leur rencontre courent aussitôt Erec et Maboagrain, Guivret et le roi Evrain, et tous les autres à leur suite ; ils les saluent et les honorent, sans nulle réserve ni réticence. Maboagrain mène grand joie pour Enide, et elle aussi pour lui. Erec et Guivret ensemble se réjouissent à leur tour pour la demoiselle ; ils se manifestent, eux et elles, leur allégresse, échangent des baisers et se prennent par le cou.

Ils parlent de rentrer dans la ville, car ils sont trop demeurés dans le verger ; tous sont prêts à en sortir, et ils en sortent en se livrant à leur joie et en s'embrassant les uns les autres. Tous sortent à la suite du roi, mais avant qu'ils ne fussent arrivés dans la ville, les barons de tout le pays environnant s'y étaient assemblés, et tous ceux qui avaient su la nouvelle de la Joie y étaient venus, ceux du moins qui l'avaient pu. Grande était l'assemblée et la foule : chacun s'empressait de voir Erec, puissants et petits, pauvres et riches. Ils se plantaient les uns devant les autres, saluaient Erec, lui faisaient la révérence et lui disaient tous sans jamais finir : « Dieu sauve celui par qui renaît la joie et la liesse en notre cœur ! Dieu sauve le plus fortuné que Dieu ait pris la peine de créer ! »

Ils l'escortent ainsi jusqu'à la cour et s'adonnent entièrement à la joie suivant l'inclination de leurs cœurs. Harpes et vielles y résonnent, gigues, psaltérions et symphonies, et tous les instruments à cordes que l'on pourrait énumérer ; mais je me contente de vous les citer brièvement, sans trop m'y attarder.

Le roi honore Erec autant qu'il le peut, et tous les autres l'imitent sans réserve, il n'en est aucun qui ne se mette très volontiers à son service. La Joie dura trois jours entiers avant qu'Erec pût se mettre au chemin du retour. Au quatrième jour, il ne voulut pas demeurer plus longtemps, quelque prière qu'on lui fît. On prit grand plaisir à lui faire escorte, et il y eut très grande presse pour prendre congé de lui. Il n'aurait pu en une demi-journée rendre tous les saluts reçus, s'il avait voulu répondre à chacun. Il salue et accole les barons; quant aux autres, d'une seule parole, il les recommande à Dieu tous ensemble et les salue. Enide ne reste pas muette quand il lui faut prendre congé des barons ; elle les salue, chacun par son nom, et eux, tous ensemble, lui rendent son salut. Au moment du départ, elle baise doucement et prend par le cou sa cousine. Ils sont partis, la joie s'achève.

Ceux-ci s'en vont et ceux-là s'en retournent. Erec et Guivret ne séjournent pas à la cour, mais ils poursuivent leur route avec joie, jusqu'à ce qu'ils arrivent en droite ligne au château où on leur avait dit qu'était le roi Arthur. On l'avait saigné la veille. Il avait avec lui, dans ses chambres, en privé, seulement cinq cents barons de sa maison : jamais en aucune saison, le roi ne s'était trouvé si seul, et il était ennuyé de ne pas avoir plus de gens à sa cour. A ce moment accourt un messager qu'Erec et Guivret avaient envoyé en avant pour annoncer au roi leur arrivée ; il prit vite de l'avance sur la troupe, trouva le roi avec tous ses gens, le salua en homme bien appris et dit : « Sire, je suis le messager d'Erec et de Guivret le Petit. » Puis il lui conta et dit qu'ils venaient le voir à sa cour. Le roi répondit : « Qu'ils soient les bienvenus, comme barons vaillants et preux : je n'en connais nulle part de meilleurs qu'eux deux ; ils rehausseront beaucoup l'éclat de ma cour ». Alors il a mandé la reine et lui a appris les nouvelles. Les autres firent seller leurs chevaux pour aller à la rencontre des barons ; mais ils ne chaussèrent pas leurs éperons, tant ils se hâtèrent de monter. Je veux vous dire et conter brièvement que la troupe des gens de peu : garçons, queux et bouteilliers, était déjà arrivée au bourg pour préparer les logis; le gros du cortège suivait. Ils les suivaient même de si près qu'ils étaient entrés dans la ville ; c'est alors qu'ils rencontrèrent ceux de la cour et échangèrent avec eux saluts et baisers. Ils vont aux hôtels, se mettent à l'aise, se dévêtent, puis s'habillent et se parent de leurs plus belles robes. Quand ils sont bien préparés, ils repartent pour la cour.

Arrivés à la cour, le roi les voit, ainsi que la reine qui brûlait d'envie d'embrasser Erec et Enide : avec elle, on eût pu chasser à l'oiseau, tant elle était pleine de joie. Chacun se met en devoir de leur faire bon accueil ; mais le roi commande de faire silence, puis s'enquiert auprès d'Erec et lui demande des nouvelles de ses aventures. Quand le murmure fut apaisé, Erec commence son récit : il raconte ses aventures sans en oublier une seule. Mais croyez-vous que je vais vous dire quelle fut l'occasion de son départ ? Non pas ; car vous savez la vérité et de ceci et d'autre chose, comme je vous l'ai exposée : le conter à nouveau me serait fastidieux, car le conte n'est pas court pour qui voudrait le recommencer et reproduire dans leur ordre les paroles de son récit. Il leur dit l'histoire des trois chevaliers qu'il conquit, puis des cinq, puis l'aventure du comte qui voulut lui causer si grande honte, puis celle des géants ; il leur conta dans l'ordre exact, l'une après l'autre, toutes ses aventures, jusqu'au moment où il brisa le crâne du comte qui était assis à table, et comment il recouvra son destrier.

« Erec, dit le roi, bel ami, demeurez donc en ce pays, à ma cour, comme vous en aviez coutume. — Sire, du moment que vous le voulez, je demeurerai très volontiers deux ou trois ans tout entiers, mais priez Guivret de demeurer lui aussi, comme je l'en prie moi-même. » Le roi invite Guivret à demeurer et celui-ci accepte l'invitation, c'est ainsi qu'ils restent tous les deux : le roi les retient avec lui, tant il a pour eux d'affection et d'estime.

Erec demeura à la cour avec Guivret et Enide, tous trois ensemble, jusqu'à ce que mourut le roi son père, qui était vieux et très âgé. Aussitôt des messagers lui furent dépêchés. Les barons qui vinrent le chercher, les plus hauts hommes de sa terre, allèrent tant à sa recherche et le demandèrent tant qu'ils le trouvèrent à Tintagel, huit jours avant la Nativité. Il lui dirent la vérité : comment son père, le vieillard aux cheveux blancs, était mort et trépassé. Erec eut beaucoup plus de peine qu'il n'en laissa paraître à ses gens ;

mais deuil de roi n'est pas de bon ton et il ne convient pas qu'un roi manifeste sa peine. Là où il se trouvait, à Tintagel, il fit chanter des vigiles et des messes, fit des promesses aux maisons-Dieu et aux églises et s'en acquitta comme il s'y était engagé. Il fit très bien ce qu'il devait faire : il choisit plus de cent soixante-neuf pauvres dans la détresse et les revêtit tout de neuf ; aux pauvres clercs et aux prêtres, il donna, comme il était juste, chapes noires et chaudes pelisses de dessous. Pour l'amour de Dieu, il fit beaucoup de bien à tous : à ceux qui en avaient besoin, il donna plus d'un setier de deniers.

Quand il eut partagé ses richesses, il agit avec une très grande sagesse : il reprit sa terre du roi, puis il le pria et lui demanda de venir le couronner dans sa propre cour. Le roi l'avertit de s'y préparer sans retard, car il les couronnerait tous deux, lui et sa femme, à la Nativité prochaine, et il ajouta : « Il nous faut aller d'ici jusqu'à Nantes en Bretagne. On y apportera les insignes royaux, la couronne d'or et le sceptre. C'est l'honneur et le don que je vous réserve ». Erec en remercia le roi et lui dit qu'il lui avait fait là un grand don.

A la Nativité, le roi assembla tous ses barons. Il les manda tous un par un et commanda aux dames de venir. Il les manda tous et nul ne s'y déroba. Erec, de son côté, en convoqua un grand nombre : il en invita beaucoup, mais il en vint plus encore qu'il ne pensait, pour le servir et lui faire honneur.

Je ne sais vous dire ni vous rapporter quels ils étaient ni le nom de chacun, mais, tel peut y venir et tel autre non, Erec n'oublia pas le père ni la mère de ma dame Enide. Son père fut invité le premier et vint à la cour en très riche équipage, comme il seyait à riche baron et châtelain ; il n'avait pas un cortège de chapelains ni de folles gens ou d'ébaudis, mais de bons chevaliers et d'hommes très bien équipés. Chaque jour, ils faisaient une longue étape ; et ils chevauchèrent si bien, jour après jour, qu'avec grand joie et grand honneur, ils arrivèrent à Nantes la cité, la veille de l Nativité. Ils ne firent de halte en nul lieu avant d'être entrés dans la salle haute. Erec et Enide, à leur vue, vont au-devant d'eux sans retard, les saluent et les embrassent, leur adressent la parole très doucement et leur font fête, comme ils le doivent.

Quand ils se furent congratulés entre eux, tous quatre se tinrent par la main et s'en vinrent devant le roi. Ils le saluèrent aussitôt, et pareillement la reine qui était assise à son côté. Erec prit son hôte par la main et dit : « Sire, voyez ici mon bon hôte et mon cher ami, qui me fit si grand honneur lorsqu'il me fit seigneur en sa maison; avant qu'il ne sût rien de moi, il m'hébergea du mieux qu'il put et il m'abandonna tout ce qu'il avait, au point de me donner sa fille, sans demander l'avis ou le conseil d'autrui. — Et cette dame qui l'accompagne, ami, fait le roi, qui est-elle ? ». Erec ne lui cache rien : « Sire, fait-il, cette dame, je vous l'apprends, est la mère de ma femme. — Est-elle sa mère ? — En vérité, sire. — Certes, je puis donc bien dire que très belle et gracieuse doit être la fleur qui sort d'une si belle ente, et meilleur encore le fruit qu'on y cueille, car ce qui sort d'une bonne souche répand un suave parfum. Enide est belle et elle doit l'être, en toute raison et à bon droit, puisque sa mère est une très belle dame et que son père est un beau chevalier. Elle ne les déçoit en rien, car elle tient visiblement de tous les deux et elle les rappelle par bien des côtés. »

Alors le roi se tait et demeure silencieux ; il leur commande de s'asseoir et ceux-ci ne s'y refusent point, ils se sont assis aussitôt. Maintenant Enide est en grand joie, car elle voit son père et sa mère qu'elle n'avait pas vus depuis longtemps. Son allégresse en était accrue ; cela lui semblait bon et la comblait de plaisir, et elle manifestait sa joie autant qu'elle le pouvait, mais si grande qu'elle s'efforçât de la faire paraître, celle qu'elle éprouvait l'était encore plus. Mais je ne veux pas en dire davantage, car j'ai bien envie de décrire la gent qui, de maintes diverses contrées, s'était assemblée en ce lieu.

Il y avait beaucoup de comtes et rois, Normands, Bretons, Ecossais, Anglais d'Angleterre et de Cornouaille ; il y avait de très riches barons, car du Pays de Galles jusqu'en Anjou, en Allemagne et en Poitou, il n'y avait chevaliers de haut rang, ni nobles dames de haute lignée dont les meilleurs et les plus gracieuses ne fussent à la cour de Nantes, où le roi les avait tous mandés.

Maintenant écoutez, si c'est votre volonté : quand la cour fut toute assemblée, avant que tierce fût sonnée, le roi Arthur avait adoubé quatre cents chevaliers et plus, tous fils de comtes et de rois : il donna à chacun trois chevaux et trois paires de robes, afin que sa cour fût plus brillante. Le roi était très puissant et généreux : il ne donna pas de manteaux de serge, ni de fourrure de lapin, ni de brunette, mais de samit et d'hermine, de vair d'une seule pièce et de diapre, bordés d'orfrois roides et durs. Alexandre, qui fit tant de conquêtes qu'il se soumit toute la terre, fut très généreux et très riche ; pourtant, il fut, en comparaison du roi Arthur, pauvre et chiche ! César, l'empereur de Rome et tous les rois que l'on vous cite dans les dits et chansons de geste, ne firent jamais tant de dons en une fête que le roi Arthur en distribua le jour où il couronna Erec ; et ni César, ni Alexandre n'auraient osé faire d'aussi grosses dépenses que celles qui se firent à la cour. Les manteaux étaient étendus, à l'abandon, à travers toutes les salles ; tous furent tirés hors des malles et en prit qui voulut, sans nul empêchement. Au milieu de la cour, sur un tapis, il y avait trente muids d'esterlins blancs, car les esterlins avaient cours en ce temps-là à travers toute la Bretagne, depuis le temps de Merlin, Là, tous en firent provision : cette nuit-là, chacun en emporta autant qu'il voulut à son hôtel.

A tierce, le jour de Noël, tous sont assemblés en ce lieu. La grande joie qui approche pour lui a ravi le cœur d'Erec. Or langue ni bouche de nul homme, si versé qu'il soit dans les arts, ne saurait décrire en détail ni le tiers, ni le quart, ni même le cinquième, de la pompe qui fut déployée à son couronnement. Je m'engage dans une folle entreprise, moi qui vais m'appliquer à la décrire; mais puisqu'il convient que je le fasse et que c'est chose faisable, je ne laisserai pas d'en dire une partie, selon mon petit sens.

En la salle, il y avait deux fauteuils d'ivoire, blancs et beaux et nuancés, du même style et de la même taille. Celui qui les fabriqua, sans aucun doute, fut très subtil et ingénieux, car il les fit tous deux très semblables, par la hauteur, la largeur et le décor : même si vous les aviez regardés sous toutes leurs faces, avec l'intention de les distinguer l'un de l'autre, jamais vous n'auriez pu trouver en l'un quelque détail qui ne fût en l'autre. Ils ne contenaient aucune parcelle de bois, mais seulement de l'or et de l'ivoire fin. Ils avaient été sculptés avec un grand art, car les deux pieds de devant représentaient des léopards, les deux autres des crocodiles. Un chevalier, Bruiant des Iles, en avait fait don et hommage au roi Arthur et à la reine.

Le roi Arthur s'assit sur l'un et fit asseoir sur l'autre Erec, qui était vêtu d'une robe de moire. En lisant l'histoire, nous trouvons la description de cette robe : j'en prends à témoin Macrobe, qui mit tous ses soins à écrire l'histoire et qui, sans mentir, la connaissait à fond. Macrobe m'enseigne à décrire, comme je l'ai trouvé dans son livre, la façon et le dessin de l'étoffe.

Quatre fées l'avaient faite avec une grande sagesse et un grand art. L'une y avait représenté la Géométrie, comment elle observe et mesure les dimensions de la terre et du ciel, en sorte que rien ne lui échappe : tantôt le bas, tantôt le haut, puis la largeur, puis la longueur ; ensuite, elle observe tout au long l'étendue et la profondeur de la mer et mesure ainsi le monde tout entier. Cet ouvrage fut l'œuvre de la première fée. La seconde mit sa peine à représenter Arithmétique, et elle s'efforça de bien montrer comment, avec sagesse, elle dénombre les jours et les heures, les gouttes d'eau de la mer, tous les grains de sable et les étoiles une à une ; elle en sait bien dire la vérité et combien de feuilles il y a dans un bois ; jamais aucun nombre ne l'abusa et jamais elle ne mentira en rien, car elle a la volonté d'y exceller. Telle était l'œuvre d'Arithmétique. La troisième œuvre était celle de Musique, en qui s'accordent tous les plaisirs : chant et déchant et, sans discord, sons de harpe, de rote et de vielle. Cette œuvre était bonne et belle, car devant la Musique étaient figurés tous les instruments et tous les plaisirs.

La quatrième fée, qui travailla ensuite, s'appliqua à un très bel ouvrage : elle y figura le meilleur des arts, puisqu'elle entreprit de représenter Astronomie, celle qui fait de si grandes merveilles et s'inspire des étoiles, de la lune et du soleil. Elle ne prend conseil en nul autre lieu sur ce qu'il lui faut faire ; le ciel la conseille à coup sûr sur tout ce qu'elle lui demande ; tout ce qui fut et tout ce qui sera, elle peut le savoir en toute certitude, sans mensonge et sans tromperie. Ce motif était représenté, figuré et tissé en fils d'or, sur l'étoffe dont était faite la robe d'Erec. La fourrure qui y avait été cousue venait de bêtes monstrueuses qui ont la tête toute blonde et le corps noir comme mûre, le dos vermeil sur le dessus, le ventre noir et la queue d'un bleu foncé ; ces bêtes-là naissent dans l'Inde et se nomment berbiolettes, elles ne se nourrissent que de poissons, de cannelle et de girofle nouvelle. Que vous dirai-je du manteau ? Il était très riche et bel et bon ; aux ferrets étaient quatre pierres : deux chrysolithes d'une part et deux améthystes de l'autre, toutes serties d'or.

Enide n'était pas encore venue au palais à cette heure ; quand le roi voit qu'elle tarde, il commande à Gauvain d'aller la chercher pour l'amener au palais. Gauvain court et ne tarde pas, avec lui le roi Carodüant et le généreux roi de Gavoie. Guivret le Petit fait route avec eux, et puis Yder, fils de Nut. D'autres parmi les barons y accourent, uniquement pour faire escorte aux dames, et en tel nombre qu'ils auraient pu détruire une armée, car ils étaient plus d'un millier.

La reine avait pris la peine de parer Enide de son mieux. Elle est amenée au palais par Gauvain le courtois d'un côté, et de l'autre par le généreux roi de Gavoie, qui la chérissait fort à cause d'Erec, son neveu. A leur arrivée au palais, le roi Arthur, avec un grand empressement, court à leur rencontre et, avec courtoisie, il fait asseoir Enide aux côtés d'Erec, car il veut lui faire grand honneur. Aussitôt, il commande de retirer de son trésor deux couronnes massives en or fin.

Dès qu'il en eut donné l'ordre, les couronnes furent apportées sans délai devant lui ; elles étaient tout étincelantes d'escarboucles, car il y en avait quatre sur chacune. La clarté de la lune n'est rien auprès de celle que pourrait rendre la moindre de ces escarboucles ; de la lumière qu'elles répandaient, tous ceux qui étaient au palais furent si fortement éblouis que, pendant un moment, ils n'y virent plus goutte ; même le roi en fut ébloui et pourtant il se réjouit fort de les voir si claires et si belles. Il fit porter l'une des couronnes par deux pucelles et l'autre par deux barons. Puis il commanda aux évêques, prieurs et abbés conventuels de s'avancer pour oindre le nouveau roi, selon la loi chrétienne. Aussitôt se sont avancés tous les prélats, les jeunes et les chenus, car il y avait à la cour nombre de clercs, d'évêques et abbés. L'évêque de Nantes en personne, qui était un homme rempli de sagesse et de sainteté, fit le sacre du nouveau roi, très pieusement, à la perfection, et il lui mit la couronne sur la tête.

Le roi Arthur fit apporter un sceptre qui fut très admiré. Ecoutez comment il était fait : il était plus brillant qu'un vitrail, taillé d'une seule pièce dans une émeraude et il était bien de la grosseur du poing. J'ose vous en dire la vérité : il n'y a dans le monde sorte de poisson ni de bête sauvage, ni d'homme, ni d'oiseau ailé qui n'y fût figuré et sculpté, chacun selon sa forme propre. Le sceptre fut remis au roi qui le regarda avec admiration, puis il le plaça sans plus tarder dans la main droite d'Erec : maintenant il était roi comme il devait l'être. Ils ont ensuite couronné Enide.

La messe était déjà sonnée ; aussi s'en vont-ils à l'église principale pour entendre la messe et le service; ils s'en vont prier au siège épiscopal. Vous auriez vu pleurer de joie le père d'Enide et sa mère, qui avait nom Tarsenesyde ; en vérité tel était le nom de sa mère, et Licorant était celui de son père; tous deux étaient remplis de joie.

Comme ils arrivaient à l'église épiscopale, tous les moines du moutier en sortirent à leur rencontre, avec reliques et trésors, croix, livres saints et encensoirs, châsses et tous les corps saints, dont l'église possédait un grand nombre ; pour venir à leur rencontre, ils les ont tous fait sortir et l'on ne ménagea pas les chants. Jamais on ne vit rassemblés à une messe tant de rois, de comtes, de ducs et de barons ; leur foule était si grande et si dense que tout le moutier en fut rempli ; jamais vilain ne put y pénétrer, mais seulement les dames et les chevaliers. A la porte du moutier, il y en avait beaucoup encore ; ils étaient massés en si grand nombre qu'ils ne pouvaient entrer à l'intérieur. Quand ils eurent entendu toute la messe, ils retournèrent au château. Déjà tout était prêt et disposé, les tables mises et les nappes dessus. Il y avait cinq cents tables et plus, mais je ne veux pas vous faire accroire, le mensonge serait trop évident, que les tables fussent disposées à la file dans un palais ; je n'ai pas l'intention de le dire. Mais il y en avait cinq salles pleines, si bien qu'on pouvait à grand peine trouver un passage entre les tables. A chaque table, il y avait, en vérité, un roi, ou un duc, ou un comte ; et cent chevaliers bien comptés étaient assis à chaque table. Mille chevaliers servaient le pain, mille autres le vin et mille autres les mets, vêtus de pelissons d'hermine tout frais. Quant aux divers mets qui furent servis, si je ne vous les énumère pas, je saurais cependant vous en rendre compte, mais il me faut m'appliquer à une autre besogne.

Ici finit le roman d'Erec et Enide.

GLOSSAIRE

A

AIS (de l'écu) m. pl., armature de bois de l'écu, recouverte de cuir, et aux bords renforcés par une armature de fer (*rive de l'écu*). La garniture de cuir était peinte d'emblèmes variés, qui permettaient de reconnaître le chevalier (*connaissances*, puis blason).

ALEZAN, adj. et sb. m., cheval dont la robe et les crins sont d'un rouge jaunâtre (afr. *saur*). Le mot *alezan*, introduit par Rabelais en 1534, vient de l'arabe par l'intermédiaire de l'espagnol, et désigne à proprement parler la couleur du renard.

AMBLE, allure régulière et sans heurts d'un quadrupède qui se déplace en levant en même temps les deux jambes du même côté. C'est une allure de promenade et c'est pourquoi les dames recherchaient particulièrement les chevaux qui allaient l'amble.

ARGENT EN PLAQUES (afr. *plates*), argent en lingots par opposition à l'argent monnayé.

AUBAGU, sb., m., qualification du cheval du roi Arthur, peut-être d'après sa couleur blanche ; cf. *gringalet*.

AUNE, sb. f., ancienne mesure de longueur correspondant à peu près à 1 m. 188.

AUTOUR, oiseau de proie, du genre épervier, particulièrement estimé pour la chasse. Il est question dans *Erec* d'autours béjaunes, d'autours de moins d'un an, d'autours mués, d'autours de 5 ou

6 mues, d'autours saurs et gruiers.

AVOUTRE, bâtard (de * *abulterum* par *adulterum*, enfant adultérin).

B

BAI, adj., se dit d'un cheval dont la robe est rougeâtre, mais dont les crins sont noirs, ainsi que les extrémités. Les bais de Gascogne étaient réputés.

BALZAN (afr. *baucent*), adj., se dit d'un cheval noir ou bai qui a des balzanes, c'est-à-dire des taches blanches aux pieds.

BAN, sb. m., ordre ou défense qui fait l'objet d'une proclamation publique au nom du seigneur.

BÉJAUNE, oiseau encore très jeune (bec jaune), encore impropre à la chasse.

BESANT (*byzantium*), monnaie d'or byzantine, qui valait environ 10 sols tournois; elle se répandit en Occident au moment des croisades.

BLIAUT, tunique de dessus, appelée aussi *surcot*, longue et à manches, brodée au col et aux poignets. Il y avait des bliants pour hommes et pour femmes.

BOFU, étoffe de soie brochée, généralement rayée.

BOTTE (afr. *bot, bout*). coup donné en piquant avec la pointe de l'épée.

BOUCLE, renflement au centre de la face externe de l'écu, à la place de l'umbo antique et affectant souvent la forme d'une boucle de métal (d'où le nom de *bouclier*, * *buccularium*).

BOUGRAN (afr. *bogerant, boquerant, bougerenc*), grosse toile, forte et gommée, fabriquée en pays musulman, à Boukhara.

BOURG, localité close de murailles fortifiées, par opposition aux quartiers situés hors des murs (*fors borc*, faubourg). L'agglomération qui se trouvait dans l'enceinte d'une abbaye se nommait souvent « le Bourg l'Abbé » (Orléans, Caen, Rouen, Paris, etc.).

BOURGEOIS, habitants d'un bourg, qui ont obtenu des franchises plus ou moins étendues et un statut légal de leurs seigneurs, laïcs ou ecclésiastiques. On trouve dans une grande ville des bourgeois du roi, du comte, de l'évêque, du chapitre, de l'abbé, etc... Les bourgeois se livrent au commerce et sont souvent fort riches.

BOUSINE (var. *buisine*, de *buccina*), trompette rustique.

BOUTEILLIER, officier chargé du service des vins à la table d'un grand seigneur.

BRACHET (dimin. de *braque*), chien de chasse, à poil ras et oreilles pendantes, employé surtout comme chien d'arrêt.

BRETÈCHE, fortification avancée d'un château, sorte d'avant-poste commandant les chemins d'accès à la forteresse principale. La bretèche consiste parfois en une palissade précédée d'un fossé, parfois en ouvrages en pierre sèche.

BRIDE (de l'écu), (afr. *enarmes*), courroie de cuir placée au centre de la face interne de l'écu et dans laquelle le chevalier passait la main et le bras.

BRIDE (de la lance), (afr. *resne*), courroie destinée à retenir à l'épaule la lance, que le chevalier ne pouvait tenir au poing continuellement. Le talon de la lance s'appuyait alors sur l'étrier.

BRUNETTE, tissu de laine léger, de couleur foncée tirant sur le noir ; c'était une étoffe fine et recherchée.

C

CAPUCHON (= afr. *chapelier*), pièce de mailles, disposée sur la coiffe et sous le heaume proprement dit.

CENDAL, étoffe de soie, parfois rouge, parfois bleue.

CERCLE (= afr. *cercler*), bande de métal bordant extérieurement la base du heaume pour la renforcer et l'orner.

CHAINSE, tunique de dessous, longue et à manches. Le chainse, généralement en toile, parfois en soie, avait des bordures brodées à l'encolure et aux manches, parties apparentes sous le bliant. Le chainse se portait sur la chemise.

CHALUMEAU, flûte champêtre.

CHAPE, grand manteau d'une seule pièce jeté sur les épaules et dont les deux pans se rejoignent par devant.

CHAPELAIN, desservant d'une chapelle ou curé de village ; le terme désigne l'un des grades inférieurs et les moins considérés de la hiérarchie ecclésiastique.

CHATEAU. Au sens strict, le mot désigne la résidence fortifiée d'un roi ou d'un seigneur ; au sens large, toute l'agglomération construite autour de cette résidence et munie elle-même d'une enceinte fortifiée, dont la demeure seigneuriale constitue la citadelle principale. La partie de l'agglomération contenue dans l'enceinte est le *bourg ;* les quartiers extérieurs sont les *faubourgs.* Parfois au bourg de la colline s'oppose une ville ouverte, qui s'étend au-dessous, dans la plaine ou la vallée.

CHATELAIN. Le mot, au moyen âge, ne désigne pas, comme aujourd'hui, le propriétaire et habitant l'une belle et grande demeure rurale, mais l'officier du roi ou du comte, chargé de défendre et de gouverner une ville fortifiée, un « château ». La fameuse « châtelaine de Vergy » était la femme d'un officier chargé de gouverner, au nom du duc de Bourgogne, la ville forte de Vergy.

CHAUSSES. Le mot désigne tantôt le vêtement en drap ou en tissu de soie qui recouvre les membres inférieurs, et qui se divise en *haut de chausses* et *bas* (*de chausses*) ; tantôt les pièces d'armure, en mailles de fer ou d'acier, lacées de courroies de cuir, qui protègent les mêmes membres.

CHRYSOLITHE, pierre précieuse du genre péridot, d'un beau jaune verdâtre, citée au XIIe siècle dans le *Lapidaire* de Marbode, et dont le nom signifie en grec « pierre d'or ».

COIFFE, calotte d'étoffe généralement blanche, placée directement sur la tête du chevalier, au-dessous du capuchon de mailles ou « chapelier », disposé lui-même sous le heaume.

CONNÉTABLE, officier de la cour qui remplissait primitivement les fonctions de grand écuyer et veillait aux soins à donuer aux chevaux (*comes stabuli*). A la guerre, le connétable commandait la cavalerie, qui était l'arme principale et presque unique. On voit dans *Erec* que, chez le comte de Limors, le connétable s'emploie aussi à faire mettre les tables et à faire servir les repas.

CONNIN, fourrure de lapin.

COTTE, tunique de dessous,

COUETTE (*culcita*), lit de plume, matelas, couverture ou coussin, selon les cas.

COUPLET. Ce mot moderne répond à l'afr. *vers* du v. 1796 : *Ici fenist li premiers vers.* Chrétien veut dire que les 1.795 premiers vers du roman en forment l'introduction, de même que le premier couplet d'une chanson lyrique en fournit le cadre et présente souvent les principaux personnages qui vont entrer en jeu. C'est l'interprétation de M. E. Hoepffner.

COURTEPOINTE (altération de *coute pointe* < *culcita puncta*), couverture de lit piquée).

COURTINE. Le mot désigne les tentures d'appartement qui étaient suspendues le long des murs, dans les entrecolonnements des grandes arcades, devant les portes et les baies, autour des lits d'apparat. Le bas-latin *cortina*, qui est dans Isidore de Séville, se rattache vraisemblablement à *cortis*, au sens de résidence royale. Ce genre de tenture était le principal décor des palais royaux de l'antiquité, comme on peut le voir, par exemple, sur les mosaïques de Ravenne. Courtine est de la même famille que *courtois*, *courtisan*, etc...

CROISETTE, dessin en croix d'une étoffe.

D

DÉCHANT (*discantus*), terme de musique d'église. Le déchant est la partie supérieure dans un chant à deux voix, dont le *cantus firmus* est fourni par le plain-chant. Le déchant est à l'origine de la polyphonie religieuse qui s'est épanouie aux xve et xvie siècles.

DESTRIER, cheval de bataille, ainsi appelé, selon les uns, parce que l'écuyer le tenait *en destre*, c'est-à-dire qu'il le conduisait de la main droite. Dans *Erec*, un comte amène à un tournoi *cent chevaux en destre* (v. 1886) ; Erec lui-même déclare : *ja n'an manrai cheval an destre.* 2716. Selon Harmand, *Rev. de philol.* fr., 1939, p. 1-28, le destrier serait un cheval de joute qui galopait sur le pied droit. Les deux explications sont peut-être conciliables.

DIAPRE, tissu de soie à ramages et à fleurs, pour vêtements ou tentures; de là l'adjectif *diapré*.

E

ÉCARLATE, tissu d'habillement, drap de laine ou de soie, primitivement bleu, puis le plus souvent d'un rouge vif.

ÉMERILLON, espèce de faucon vif et hardi du genre hobereau.

EMPAN (afr. *espan*), espace qui sépare les extrémités du pouce et du petit doigt (de 22 à 24 centimètres), mesure de longueur fournie par la main déployée à plat.

ÉPICE, substance aromatique, drogue végétale servant de médecine, comme le clou de girofle, le gingembre, la muscade, le poivre, etc.

ÉPIEU, arme formée d'un fer losangique monté à l'extrémité d'un bois trapu et robuste; l'épieu était employé particulièrement dans la chasse aux fauves.

ERRANT (chevalier), se dit d'un chevalier en voyage (*itinerante*), sans aucun rapport avec le verbe *errer*, « aller çà et là à l'aventure ».

ESCARBOUCLE (lat. *carbunculum*), pierre précieuse d'un rouge foncé, qui a beaucoup d'éclat et à laquelle le moyen âge attribuait des propriétés merveilleuses ; c'était l'une des pierres les plus estimées. Il est question dans *Erec* d'une *escarboucle d'or :* ce doit être une métaphore pour caractériser l'éclat de cette pierre, qui brille comme l'or le plus fin.

ESSART, défrichement au milieu d'une forêt. Les localités nommées *Les Essarts* ont eu pour origine des défrichements pratiqués au milieu d'une région boisée.

ESTERLIN, monnaie anglaise qui valait environ quatre deniers tournois.

ESTIVE, instrument à vent du type de la musette.

F

FERMAIL, sb. m., agrafe ou boucle en métal incisé ou niellé, avec incrustation de pierres, servant à fermer les robes et les manteaux.

FERRET (= afr. *tassel*), extrémité en métal précieux, or ou argent, d'une aiguillette, d'une courroie ou d'un lacet, souvent travaillé en forme de tête d'animal, plus ou moins stylisée.

FEUTRE (afr. *fautre*), tapis de selle débordant l'arçon, ou matelassure de l'arçon sur laquelle on pouvait appuyer le fût ou le talon de la lance.

FRESTELLE, sb. f., genre de flûte de Pan, à plusieurs tuyaux parallèles et de longueurs décroissantes, taillés en biseau.

FROMAGE GRAS (a. fr. *f. de gaïn*), fromage fait, après la fauchaison, avec le lait, plus gras, de vaches mieux nourries.

G

GALERIES HAUTES (= afr. *loiges, loges*), galeries supérieures d'un château ou d'une riche demeure, tantôt en bois et saillantes, tantôt en pierre avec des arcatures encadrant des baies. Ces sortes de *loggia* étaient très appréciées au XIIe siècle et servaient de promenoirs. L'ancien évêché d'Auxerre conserve une magnifique galerie de ce genre, de peu antérieure au roman de Chrétien.

GALONNER, enserrer les cheveux d'une dame ou demoiselle au moyen de fils d'or, tressés avec les cheveux eux-mêmes.

GARÇON, valet de bas étage.

GAUCHIR (afr. *ganchir*), signifie littéralement « faire un détour »; ce verbe caractérise l'artifice du chevalier qui, dans une joute, esquive le choc de l'adversaire lancé contre lui en se jetant de côté, puis se retourne brusquement et se lance sur l'adversaire pris de biais.

GIGUE, sorte de violon rustique de petite taille, à cordes et à archet (all. *Geige*), qui semble avoir donné son nom à la danse, très vive, du même nom.

GRAINE, teinture rouge, cochenille (on dit : *teindre en graine*).

GRINGALET, cheval de race indéterminée, probablement de petite taille, monture de Gauvain. Le mot serait une déformation du gallois *Keinkaled*, d'où la forme primitive *guingalet*.

GRIS ou *petit-gris*, fourrure fournie par une variété d'écureuil de la Russie et de la Sibérie.

GRUIER (autour), dressé à la chasse de la grue.

GUICHE (afr. *guige*), longue courroie suspendant le bouclier au col du cavalier.

GUICHET, petite porte, souvent dissimulée, pratiquée dans le mur d'enceinte d'une ville forte.

GUIMPE (afr. *guimple*), coiffure des femmes mariées et des religieuses, composée d'une pièce de linge fin qui couvrait le chef, le cou et le haut des épaules, et dont une extrémité retombait sur le bras gauche.

H

HASARD, jeu de dés (esp. *azar*, de l'arabe *az-zahr*, « le dé »).

HAUBERT (franç. *Halsberg*), partie de la cotte de mailles qui protégeait le buste. Il est question dans *Erec* de haubert à treillis, c'est-à-dire à mailles triples (**trilicium*), et de haubert en treillis de petites mailles d'argent, où il n'entrait point de fer.

HEAUME (all. *Helm*, casque), partie de l'armure qui protégeait la tête et le visage. Le heaume se laçait avec des courroies de cuir, tandis que le haubert s'endossait.

L

LAI, mélodie avec ou sans paroles; poème narratif de médiocre étendue.

LICES, barres de bois horizontales formant barrière en avant d'un château ; espace compris entre le mur d'enceinte et les lices, et qui servait aux joutes et tournois.

LIEUES GALLOISES, mesure itinéraire usitée dans le pays de Galles; on sait que le mot lieue (*leuca*) est d'origine celtique.

LORAIN, courroie allant du poitrail à la croupière et fixée à la selle.

M

MAISON-DIEU, hospice, hôpital tenu par des religieux ou des personnes pieuses.

MAISON-FORT, manoir fortifié, en ville ou à la campagne.

MANCHE, partie séparée du vêtement, auquel elle s'attache par des liens ou une couture temporaire, et qui peut être donnée en cadeau ou en gage d'amitié. Les chevaliers portent volontiers dans les tournois la manche qui leur a été donnée par leur dame.

MESNIE, sb. f., ensemble des parents, domestiques et vassaux qui formaient la maison d'un seigneur.

MINE, sb. f., jeu de hasard.

MUE, renouvellement périodique du plumage chez certains oiseaux, qui étaient employés pour la chasse.

MUSETTE, instrument de musique champêtre, formé de plusieurs tuyaux et d'une outre en peau; c'était, au moyen âge, l'instrument favori des bergers. La cornemuse, qui n'a que deux tuyaux, est une variété de musette qui s'emploie toujours en Bretagne et en Ecosse.

N

NONE, sb. f., heure liturgique qui correspond à peu près à 3 heures de l'après-midi.

NORROIS, adj., se dit des chevaux originaires de Norvège ou des contrées nordiques.

O

ORFROI, (*aurum fresum* plutôt qu'*aurum phrygium*),

bande passementée de fil d'or ; ce genre de parement ne s'emploie plus guère aujourd'hui que pour les chasubles et ornements d'église.

OSTERIN, drap de soie, étoffe précieuse d'origine orientale.

OUVROIR, atelier, chambre où les dames se livrent aux travaux d'aiguille et de broderie.

P

PAILE (lat. *pallium*), pièce de tissu de soie richement ornée, pour vêtement ou ameublement. Le mot ne s'emploie plus aujourd'hui, sous la forme *poële*, que pour désigner la tenture noire placée sur le cercueil lors des obsèques.

PALEFROI (de *paraveredum*, cheval de poste, d'où all. *Pferd*), cheval de selle et de promenade, presque toujours réservé aux dames.

PANNE, fourrure intérieure d'une bliaut ou d'une robe.

PAVILLON (lat. *papilionem*), sorte de tente à vastes pans triangulaires qui lui donnent l'aspect d'un papillon aux ailes éployées.

PELISSE, tunique fourrée.

PERS, adj., bleu foncé.

POITRAIL, ensemble des courroies qui garnissent le poitrail d'un cheval.

POURPRE, étoffe de couleur indéterminée, qui peut être verte ou noire aussi bien que rouge.

PRIME, sb. f., heure liturgique qui correspond au lever du soleil et correspond, en été, à 5 ou 6 heures du matin.

PSALTÉRION, sb. m., instrument à cordes qu'on touchait avec le plectre.

Q

QUEUX (*coquus*), cuisinier ; ne s'emploie plus que dans la marine sous la forme *maître-queux*.

R

RECRÉANT, adj., se dit de celui qui s'avoue vaincu, qui renonce à la lutte au lieu de combattre jusqu'à l'épuisement de ses forces.

RIVE (de l'écu) (= afr. *pane*), bord renforcé de l'écu, généralement en fer.

RONCIN, sb. m., fort cheval, employé pour les gros travaux, mais moins lourd que le *sommier*. Le mot a été déformé en *roussin*.

ROTE, sb. f., instrument de musique des jongleurs bretons, dont le nom est emprunté au brittonique (*chrotta* dans Fortunat au VIe s.). D'après Notker le Bègue (Xe s.), la rote est un psaltérion en forme de Δ, à dix cordes ; ce fut ensuite une cithare à vingt-deux cordes.

S

SAMBUE, housse rembourrée et servant de selle aux dames, avec longs pans tombants.

SAMIT, riche tissu de soie, lamé d'or ou d'argent, comparable au brocart.

SAUR ou SOR, brun-roux (en parlant d'un plumage) ; châtain foncé (en parlant d'une chevelure) ; alezan (en parlant de la robe d'un cheval).

SÉNÉCHAL, officier de cour qui avait la haute main sur la domesticité et rendait la justice au nom du seigneur. Dans les romans de chevalerie, rien de plus commun qu'un sénéchal félon, qui fausse le droit par cupidité ou méchanceté.

SERGENT, serviteur, valet d'armée.

SINOPLE (*sinopis*, terre de Sinope), désigne au XIIe s. une couleur rouge (oxyde de fer).

SOMMIER, sb. m., cheval de charge.

SYMPHONIE, sb. f., a. fr., *sinfonie* ou *chifoine*, instrument à cordes frottées pouvant donner simultanément plusieurs sons.

T

TABLE RONDE. On a rendu ainsi, dans l'épisode du repas au château de Limors, l'afr. *deis, dois,* du lat. *discum*, qui désigne : 1) un plateau circulaire pour le service de table, comme celui sur lequel Salomé demanda la tête de Jean-Baptiste : *Da mihi in disco caput Johannis Baptistæ ;* 2) la table circulaire, constituée souvent, aujourd'hui encore dans les pays arabes, par un plateau de cuivre ciselé posé sur un trépied, mais aussi la grande table ronde en marbre, posée sur un piédestal central ; 3) le parasol circulaire qui est devenu le *dais* des processions liturgiques.

L'origine de la *Table Ronde* arthurienne n'a pas encore été élucisée de façon péremptoire, mais on peut songer à une source ecclésiastique. On voit dans les réfectoires des plus anciens monastères du Mont-Athos (Vatopédi), d'imposantes tables rondes en marbre blanc, qui servaient aux repas pris en commun par les cénobites byzantins.

TABLES, sb. f. pl., jeu correspondant à notre trictrac.

TALON (de la lance), partie inférieure de la hampe que le chevalier appuie sur le feutre quand il se dispose à jouter.

TIERCE, sb. f., heure liturgique qui correspond à peu près à 9 heures du matin.

TIERCELET, mâle du faucon ou de l'épervier, ainsi nommé parce qu'il est d'un tiers plus petit que la femelle.

TIMBRE, sb. m., du latin *tympanon*, sorte de tambour de basque.

TREF ou **TRÉ**, grande tente.

V

VAIR, fourrure tachetée, blanche et grise, fournie par une variété d'écureuil. Les pantoufles de Cendrillon étaient en *vair*, et non en *verre*.

VALET, sb. m., jeune gentilhomme non chevalier, dont le rôle est de servir son seigneur, soit en portant la lance et l'écu, soit à table ou dans toute autre circonstance (diminutif de *vassal*).

VASSAL, synonyme de « vaillant guerrier, preux ».

VAVASSEUR, sb. m., vassal d'arrière-fief relevant d'un fief noble. Placés à l'un des derniers échelons de la hiérarchie féodale, les vavasseurs sont généralement représentés, dans les romans de chevalerie, comme probes et prud'hommes, mais peu fortunés.

VENTAILLE, partie de la cotte de mailles rattachée au chapelier (ou capuchon de mailles) et protégeant le bas du visage. La ventaille était amovible.

VERTU, puissance merveilleuse attribuée aux pierres précieuses, soit pour donner de la lumière pendant la nuit, soit pour guérir certaines maladies ou produire des effets magiques.

VIELLE, sb. f., la vielle médiévale était un instrument à archet analogue à la viole.

VILAIN, 1) paysan, habitant d'un village ; 2) homme de basse condition ; 3) homme sans générosité ni courtoisie, de mœurs vulgaires et d'âme vile.

VIOLETTE, drap violet.